情報強者のイロハ

差をつける、情報の集め方&使い方

橋下徹

徳間書店

はじめに

スマホの普及、さらに通信技術の向上によって、私たちがあつかう情報の量は爆発的に増えた。まさにネット社会、情報化社会だ。

新型コロナウイルスによるパンデミック。ロシアによるウクライナ侵攻。中東におけるイスラエルとイスラム組織ハマスの戦争。刻一刻と変化する世界情勢がリアルタイムで飛び込んでくる。

さまざまなニュース、さまざまな言説が日々ネットを駆けめぐる。そしてそれは玉石混交《ぎょくせきこんこう》だ。本当かウソか見分けがたい情報もたくさん紛れ込む。

いまや個人発信の時代だ。誰もが気軽にＳＮＳを駆使し、思い思いに情報発信できるようになった。インフルエンサーと呼ばれる人たちは、その情報発信そのものが仕事だ。でもご存じのとおり、ＳＮＳの使用には時としてリスクもともなう。

不用意な投稿が大きな物議をかもし、社会的信用を失ってしまう人もいる。誹謗《ひぼう》中傷《ちゅうしょう》を苦にみずから命を絶ってしまうような痛ましい最悪の事態もある。

ひと昔前は、必要な情報に速やかにアクセスできる人とそうでない人との情報格差が問題だった。でもいまは違う。いま私たちが直面している問題は情報の氾濫《はんらん》だ。私たちはこれから「情報」とどう向き合っていけばいいのか。

もっともほとんどの人は、それが自分にとって本当に必要な情報なのかどうか、いちいち考えない。ぼーっとスマホを眺め続けるだけだ。

電車で、学校で、職場で、横断歩道で、スマホからちょっと目を離して周囲を見渡してみてほしい。いかにみんなが情報中毒になっているかわかるだろう。あなたもその1人かもしれない。

情報強者とは

情報強者とは、どんな人のことだろうか。

日々パソコンにむかって仕事にはげむビジネスパーソンや、大学でたくさんのレポートをこなすデジタルネイティブ世代は、情報のあつかいにある程度長《た》けているかもしれない。

でも、僕が思う「情報強者」とは、企画書を仕立てるのがうまいとか、SNS発信がうまいとか、YouTubeで学ぶのがうまいとか、そういう人のことではない。

真の情報強者とは、むしろ情報に取り込まれない身の守り方、自分にほんとうに必要な情報を選別する力、そしてなにより情報を手に入れたその先の思考力・発信力を備えた人のことだ。

この本で僕が伝えるのは、おもに大きく2つである。

①「情報」を適切にさばく技術

②さばいて得た「情報」で、「持論」を構築する技術

情報をさばくだけではダメだ。どこかで見聞きした話を得意げに披露したところで意味はない。聞かされるほうは退屈なだけだ。単なるニュース解説はネットでもテレビでもやっている。

そうではなく、あなたに必要なのは、上質な「情報」を集め、それをもとに分析・考察をし、「持論」を構築することだ。

１００人いれば１００人が異口同音で述べるような内容ではなく、あなたの持論、つまりあなたならではの「意見」「視点」「ストーリー」にこそ人は価値を見出す。情報（特にデータ）自体は、無機質で無感情だ。でも、持論には個性があり、特徴がある。それこそがあなたの付加価値となる。

情報化社会は、今後さらに深化していく。これまでも情報を人為的に操作する者はいたが、ＡＩ技術がより進化すればますますフェイク（ニセ情報）は見抜きにくくなる。人間が情報を操る時代から、情報に操られかねない時代になっていく。

だから私たちはその情報の海に飲み込まれず、自力で泳ぎ切る力を身につけなければならない。穴の開いた浮き輪や、朽《く》ちた枝をつかまされて溺《おぼ》れてしまうわけにはいかないのだ。

人生１００年時代である。複数の職業を渡り歩いたり、副業を持ったりする人も増えていくだろう。

そこで求められるのが①と②であり、それは人生を切り開く大きな武器となる。膨《ぼう》大《だい》な情報の海からしっかり頭を出し、目指すべき針路を見つけ、泳ぎ切る力をたくわえよう。

僕はこれまで弁護士として、政治家として、コメンテーターとして、つねに「情報」を意識してきた。弁護士生命、政治家生命、そしていまの仕事を守りもすれば、陥《おとしい》れもする「情報」は、僕にとってまさに生命線だ。

本書では、大胆不敵に、しかし繊細に、情報を駆使するノウハウをお伝えしたい。あなたに資するものがあれば幸いだ。

橋下　徹

—目次—

情報強者のイロハ

差をつける、情報の集め方&使い方

レクチャー 1

「情報」とはなにか

「データ」に隠された「ストーリー」を読み解こう

レクチャー

2

情報収集術

信憑性《しんぴょうせい》をどう見極めるか

レクチャー

3

情報発信の基礎作法

「事実」「伝聞」「意見」に分類する

レクチャー

4

「持論」の強み

自分の中に芯《しん》をつくる

レクチャー 5
「持論」のつくり方
「情報強者」の習慣を身につける

レクチャー

1

「情報」とはなにか

「データ」に隠された
「ストーリー」を読み解こう

絶対的真実は誰にもわからない

僕の子ども時代は、「情報」はごく一部の限られた人たちが握るものだった。政治家、ジャーナリスト、学者といった人々が世の中のことをひも解き、その情報をテレビや新聞を通じて伝えていた。

まだインターネットはなく、一般人が情報を発信する機会はほとんどなかった。大人たちは毎朝新聞を拡げ、朝と夜のテレビニュースを欠かさずチェックする。僕ら子どもたちは毎日学校で勉強し、あとは外を駆け回って遊ぶ。

広い世界の物事は、アタマのいい大人たちがすべて理解し、解決し、僕らに教えてくれているのだと思っていた。

でも、あるときから気づく。

大人たちは僕らが思っていたほど賢くも万能でもなさそうだと。先生もたまに間違ったことを言う。偏《かたよ》った思想を持つ親もいる。立派そうな校長先生もべつに博覧強記《はくらんきょうき》というわけではなさそうだ。

テレビで訳知り顔で語っている人も、自分の得意分野以外のことはあまりわかっていないらしい――。

これは僕自身がテレビに出るようになってよりはっきりわかった（笑）。テレビカメラに向かい涼しげに解説している人も、裏では必死に勉強し、情報収集にいそしんでいる。それでも間違った見解を述べてしまうこともあれば、偏った言説にとらわれてしまうこともある。もちろん僕も少しの油断でいつでもそうなりうる。

メディアもジャーナリストも学者も、絶対的真実を知っているわけではない。

おおむね妥当で、なるべく真実に近い「情報」を取りに行くが、それでも「これが絶対の真実だ」という情報を手に入れるのはほぼ不可能に近い。

「情報」とはその程度のものなのである。だから、どんな権威のある情報だろうと絶対視すべきではない。

世の中には、つねに複数の事実が同時並行的に存在しているのだ。

2022年2月からいまだ続くロシア・ウクライナ戦争。そこにはウクライナから見た「事実」と、ロシアから見た別の「事実」がある。

2023年10月に勃発したイスラエル・ガザ戦争でもそうだ。イスラエル側から見える「事実」と、ガザ地区の人々から見える「事実」は異なる。それぞれ立場が違うのだから、とうぜんだ。


でも、そのことに多くの人は無頓着である。

自分の目のまえの光景、自分の学んできた知識、自分に染みついた常識、それらが正解なのだと思い込んでしまう。

特に学校の試験で、良い成績を収めてきた優等生タイプは要注意である。つねにどこかに「唯一絶対の真実」「たった1つの正解」があると見なしがちだ。1つの問いに対する答えが、複数あることに思いが至らない。

でも、それでは複雑化した現代で生きていくのは難しいだろう。

「VUCA《ブーカ》の時代」と言われて久しい。変化（Volatility）が激しく、不確実（Uncertainty）で、複雑（Complexity）で、曖昧《あいまい》（Ambiguity）なこの社会でより良い共存を目指すには、多様な「情報」にアクセスし、取り入れていく姿勢が不可欠なのである。

あなたのその不安や怒りは正しい？

僕が駆け出しの弁護士だったころ、判例情報を集めるのがひと苦労だった。判例は次々と更新されていく。だからこまめに洗いなおさなくてはならない。

そのためには月2回発行される判例雑誌に目を通し、弁護士会図書館に足しげく通い、いちいち資料をあたることになる。

ところがいまはネットで簡単にそれらを参照できるようになった。まったく便利になったものだ。仕事でもプライベートでも、ある程度の調べ物ならすべてネットで事足りる。まさに文明の利器である。

でも、メリットにはデメリットがともなうのも世の常だ。

ネットにあるのは有益な情報ばかりではない。誤情報やフェイク（ニセ情報）もそこかしこに潜んでいる。

フェイクに踊らされて「おまえそんなデマを信じたのかよ」と茶化《ちゃか》されるのはまだいい。でもフェイクをつかまされて大きな過ちを犯してしまえば、ただではすまない。

いまこの瞬間も世界のいたる場所で紛争が起きている。私たちはその情報をリアルタイムで知り、時に胸を痛めたり、時に怒りに駆られたりする。

でもその「情報」ははたして本当なのだろうか。その情報が事実なのかフェイクなのか、すみやかに見分けるのは実のところ不可能だ。

戦場の模様を生々しく映し出す動画が、実はゲーム会社がつくったまったくのフィクション、ということもありえる。今後ますます生成ＡＩが進化すれば、フィクションとノンフィクションの区別はいっそう難しくなるだろう。

つまり、あなたのその不安や怒りが、正しいものなのかどうかも怪しくなってくるのである。

なにが事実で、なにがウソなのか。僕は科学技術や情報処理の専門家ではない。それが生成ＡＩによる産物だとしても見抜く術《すべ》は持たない。読者のみなさんの大半もそうだろう。

私たちはいま「情報」というものの本質をあらためてとらえなおす必要がある。

ファクトとフェイクを完全に見分けるのは不可能

私たちの判断や行動は、感情に左右されがちだ。だから例えば、ネットニュースの記事タイトルの多くは、嘆き、怒り、驚きの言葉で彩られる。感情に訴えかけるタイトルのほうが、たくさんの人がクリックするからだ。

私たちのそうした傾向はあやうさをはらむ。感情が先走れば、とうぜん事実やデータはなおざりにされてしまう。事実やデータがなおざりにされれば、ゆがんだ感情論やヘイトに陥《おちい》りかねない。

物事の判断において、なによりもまず事実やデータを注視することを肝《きも》に銘《めい》じなければならない。

2019年に『ファクトフルネス　～10の思い込みを乗り越え、データを基に世界を正しく見る習慣～』（ハンス・ロスリング、オーラ・ロスリング、アンナ・ロスリング著／日経BP社）という本が日本で翻訳出版され、ベストセラーになった。数字やデータに基づいたファクト（事実）で社会問題をとらえることの大切さがあらためてクローズアップされたといえる。

ただし注意したいのは、ファクトを追い求めすぎるのもまた問題だということだ。現代の膨大《ぼうだい》な情報の中からファクトのみを選別するのは不可能だ。ファクトの選別に過度にこだわれば、身動きが取れなくなってしまう。それは重大な機会損失を招きかねない。

ニセ情報、デマはいつの時代にもあった。でも、いまと昔とで違うのは、そうしたフェイクがきわめて巧妙化し、またたく間に世界中を駆けめぐる点だ。

アメリカのトランプ前大統領が在任中、SNSで頻繁《ひんぱん》に「これはフェイクニュースだ！」と指摘していたのは象徴的だ。彼はことあるごとにそうやって自分に不都合な情報を退けてきた。それが彼の十八番《おはこ》だった。実際にフェイクはたくさんあったのだろう。でも彼がそう断じるそのすべてがほんとうにフェイクだったのかは疑わしい。

いま私たちはファクトとフェイクが折り重なったカオスの時代を生きているのだ。

２０２０年から拡がった新型コロナウイルスは、奇《く》しくも真偽《しんぎ》定まらぬ大量の「情報」まで拡散させた。２０２２年2月に勃発したロシア・ウクライナ戦争においては、両国がさまざまな主張を展開し、いまや情報戦の様相を呈している。

どの情報が本当で、どの情報がウソなのか。そのひとつひとつを見分けるのは不可能だ。現代のテクノロジーをもってすれば映像、音声、データはいくらでも改ざんできてしまう。個々人が簡単に太刀打《たちう》ちできるものではない。

そもそも世の中の事象は、そのすべてが白か黒かに分かれるものでもない。往々にして真実はつかみどころのないグレーゾーンの中にある。

だから、おおよそ私たちにできることは、その情報が「限りなく白に近い」のか、あるいは「限りなく黒に近い」のか、その見当をつける作業にとどまるのだ。

情報の真偽《しんぎ》だけにとらわれるな

フェイクを的確に見抜ける人。つねに正しい情報を入手できる人。情報強者とはそんな人を指すように思うかもしれない。でもそうではない。ファクトとフェイクを完全に見分けられる人などこの世にいない。

さらに、ファクトかどうかに拘泥《こうでい》しすぎると、不毛な議論に陥《おちい》ることになる。

「おまえの言っていることはウソだ」

「こちらこそ真実を述べている」

そんな水かけ論をしてもしょうがない。議論とは問題解決のために知恵を絞り合い、意見をぶつけ合う場だ。なにかしらの優劣を競うための場ではない。

私たち人間の脳は狩猟採集時代からほとんど進化していないと聞く。いくらテクノロジーが進化しても、かつて獲物をしとめたり、荒野を開拓したりしていたころから、私たちの脳はほとんど変わっていないのだ。

その程度の能力で、現代の膨大《ぼうだい》な情報をすべて正確にさばくことなど到底《とうてい》できるはずがない。もしそれができるという人がいたら、それこそフェイクである。

情報の真偽《しんぎ》を完全に見抜くのは無理だ。**だから私たちに大切なのは、「完璧に正しい情報は見つけられない」という前提で行動する姿勢である。**

真の情報強者とは、情報の真偽だけにとらわれるのではなく、その背景や先を見る力を持つ人のことだ。

時にはフェイクニュースにこそ多くの人が見たい〝真実〟が隠れていることもあるだろう。ファクトかフェイクか精査するのはもちろん大切だが、それがすべてではない。

仮にお墨付きの「ファクト」をたくさん集めたところで、その先の解決策、打開策、そしてより良い未来が見えてこなければ無意味なのだ。

数字やデータは いくらでも加工できる

ファクトフルネスやデータサイエンスをことさら声高に標榜《ひょうぼう》する人の言い分はこうだ。

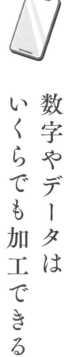

「人は感情や思い込みによって判断や解釈を間違う。だから感情の混じらない数字やデータをなにより見るべきだ」「数字は人を裏切らない、人を騙《だま》さない。だから数字を最重要視すべきだ」

それはほんとうだろうか？

数字はたしかに一見、中立的で無機質でフェアに見える。でも光の当て方や切り取り方を変えれば、まったく違う文脈を帯びてくる。

例えば、内閣の支持率が下降しているとのデータを示す際、グラフの目盛りの間隔を大きくすれば、「急下降」しているように見える。視覚的にそんな演出が可能だ。もちろん逆の効果を狙ったグラフだって、いかようにもつくれてしまう。

個人的な体験談になってしまうが、僕が大阪府政に関与している期間のデータについてもそのような作為はたくさんあった。

僕に批判的な立場の人が「橋下府政の経済政策はなんの意味もなかった」と訴え、僕が大阪府知事だった期間の大阪府内総生産をその根拠として引き合いに出す。問題はその数字の切り取り方である。

そこで提示された府内総生産では、大阪は全国47都道府県中、たしかに下位に沈んでいる。その「事実」を指摘して、「だから橋下は無能だ」と断じるわけだ。

僕としては苦笑するしかない。もちろんそう思うのは自由だし、だいいちウソではない。その数字はフェイクではなく、れっきとした事実だ。

でも、その数字には恣意《しい》性が隠されている。

たしかにそこで示された数字のみに着目すれば、全国で下位なのは間違いない。でも、前知事、前々知事時代からの府内総生産の推移に着目すると、別の「事実」も浮上してくる。

長らく右肩下がりだった府内総生産は僕の任期中に底を打ち、そこから徐々に上昇しているのが明らかに見て取れるはずだ。そこに光を当てず、部分的なデータを切り取って、「橋下府政は成果を生み出さなかった」という1つの意見を突き付ける。それはフェアじゃないし、なにより府民に誤解を生む。


繰り返すが、僕を無能だとするその「意見」自体は、自由だ。日本には表現の自由がある。誰かが誰かのことを好む・好まない、評価する・評価しないは、個人の自由。だから「橋下は無能だ」という人の好みを、批判するつもりはない。

そうではなく、ここでみなさんにお伝えしたいのは、ある特定の数字やデータとはそういうものにすぎないということだ。

切り取り方しだいで意味合いはがらりと変わる。もっと言えば、容易に人を欺《あざむ》きもする。世の中にあるさまざまなファクトは決して鵜《う》呑《の》みにできないということだ。

報道や言論は、数字やデータを駆使してある結論を導く。数字やデータは無機質だから、そこにはフェアな視点があるように思える。でも、その結論までもがフェアだとはかぎらない。

数字やデータは語りたいストーリー（物語）をつくり出すために、時として恣意的に使われる場合もあることを覚えておいてほしい。

データの使い方しだいで、結論は逆転する

例えば、「日本の国際競争力は低下している」という意見がある。でも同時に「日本の国際競争力は向上している」という真逆の意見も存在する。

では、どちらかがウソを述べているのだろうか。そうではない。

どのデータを使い、どの現象に光を当てるかによって、結論は変わりうる。

２０２３年度上期、日本の輸出額は増え、経常収支額は12兆７０６４億円の黒字（財務省発表）だった。年度の半期としては過去最高額だ。そのデータを重視すれば、「国際競争力がある」という結論に至るだろう。

でも２０２３年の日本の名目ＧＤＰ（国内総生産）は６３３兆円で、前年比０・２％

減だ（国際通貨基金の調べ）。１９９７年以降、日本の名目ＧＤＰは横ばいという事実に光を当てれば、いくら輸出額は増えていても、「競争力がある」とは言い切れない。さらに近年は日本国内で生産するより、海外に拠点を置く事業所も増えている。そうした海外生産部分が潤《うるお》ったところで、日本国内の雇用が増えなければ、日本人に利益が還元されているとは言えない。

要するに「国際競争力がある」も「国際競争力がない」も、どちらの結論も、各種データや数字を駆使すれば導き出せるのだ。

これらの結論は、１つの「意見」である。３人いれば、３人の意見があるだろう。そして、それでいいのだと僕は思っている。

でも、概して日本人は意見の食い違いが苦手だ。**「それは違う」「あんたは間違っている」と議論を通り越したケンカになりがちである。それは「意見」を「真実」とはき違えているから起きる現象だ。**世の中にはたった１つの「事実」しか存在しないと、正解主義の日本人は考えがちなのだ。

世界に自分しかいなければ、たった1つの事実をよりどころに生きていけばいい。でも現実は違う。3人いれば3通りの、5人いれば5通りの意見が存在する。であれば、そうした意見の違い、ズレにこそ、物事の問題解決のヒントが隠されていると考えるべきだろう。

建設的な議論とは、満場一致の「正解」を得ることではない。むしろ互いの立場や事情による「意見」の違いを知ったうえで、どうすれば私たちが幸福になるのか、どうすればよりマシな世の中になるのかを、みんなで考える作業なのだ。

1つの結論は、あくまで1つの意見である

僕はいまテレビで政治評論家としてコメンテーターの仕事をしている。そこで困るのが「現首相の通信簿をつけてください」というような依頼だ。多方面から考察を示す時間的余裕があるならいざ知らず、番組中のほんのわずかな時間で、視聴者に納得してもらえる通信簿をつけるのは難しい。

そもそも現首相の通信簿といっても、なにを基準にするのかで評価は変わってくる。外交手腕を見るのか、国内政治力を見るのか、あるいは政治家としての立ち回りやアピール力を見るのか。

また、絶対評価なのか、相対評価なのか、その違いも大きい。絶対評価の場合、どうしても評価する側の主観に頼らざるをえない。一方、歴代首相との比較ということになれば、評価基準はもう少し定まるかもしれない。

どんな情報に光を当てるかで結論は変わる。長引く円安をどう評価するかというような問題も同様だ。

日本の輸出産業は、とうぜん円安によって潤《うるお》う。またインバウンド需要においても、円安は追い風となる。日本円の安さは、外国人観光客にとって大きな魅力であることは間違いない。

もっとも「安い日本」というフレーズは、かつて経済大国の威光に浴した世代にとって喪失感をともなうものだ。でもこの円安の機会にたくさん訪れる外国人客に日本の良さを味わってもらえば、母国に帰ってからも日本製品や日本文化・食などを好み、消費してくれるかもしれない。そして友人や家族をともない、再訪してくれるかもしれない。その経済効果ははかり知れないだろう。そうした観点で見れば、必ずしも円安は悪いことではない。

かたや日本は、食料、肥料、エネルギーなどの各資源を海外に大きく依存してきた。そこに光を当てると、円安は家計や経済に大きな打撃を与えることになる。食料品の値段も、真冬の灯油代も、真夏のエアコン代もますます高騰《こうとう》していくおそれがある。企業も原材料費が重くのしかかれば、どんどん利益は減っていく。であれば、「円安＝悪」となるだろう。

あらゆる物事にいえることだが、ある一面のみから評価をくだしても意味はない。それは幾多もある「意見」「見解」のうちの1つにすぎない。だからこそ「情報」に多面的な光を当てることが大切なのだと、あらためて強調しておきたい。

思い込みの怖さ

報道メディアには、世の中の出来事を人々に伝える使命がある。そして同時に、伝え手の意見や見解を述べる場でもある。朝日新聞には朝日新聞なりの論調があり、読売新聞には読売新聞なりの論調がある。

彼らがなにか見解を発信するとき、その根拠として数字やデータが盛り込まれることが多い。数字やデータには説得力がある（あるように見える）からだ。

でも時にそうした数字やデータの利用には、恣意《しい》性が含まれるのはすでに述べたとおりだ。

作為、バイアス、とまでは言うつもりはない。ただ、新聞をはじめとする大手メディアの見解が政治的に中立でフェアだと過信すべきではない。彼らには彼らの語りたいストーリー（物語）がある。

そもそも私たちのものの考え方は、どうやって養われるのだろう。

人間に自由意志はあるのかという問題は、古来多くの哲学者たちが悩んできた。特に政治的な考え方に関して、人はなかなか自由になりにくい。

私たちは子どものころ、親が好んでいた報道番組を一緒に見ていたはずだ。新聞を読んでみようかと手に取る学生にしても、まずは親が購読している新聞に目を通すだろう。

親だけではない。学校の先生、大学の友だち、就職先の同僚や先輩からも、私たちは影響を受ける。まったく独自で思考を養ったという人はこの世にいない。

いまは広大なネット空間がある。住んでいる場所や環境を超えて、いつでもどこでも誰かとつながり合える世の中になった。ネット空間には、多種多様な相手と接するチャンスがある。

でも同時に、同じような考え方を持つ人々だけで凝《こ》り固まってしまうおそれもある。

いわゆる「エコーチェンバー」と呼ばれる現象だ。

エコーチェンバーをまねく最たるものはSNSだろう。自分と同じ考えの人のみフォローすれば、偏《かたよ》った意見をひたすら目にすることになる。

また、あなたがスマホで見たニュース記事やYouTube動画は、あなたのアカウントに履歴として記録される。それをもとにアルゴリズムがあなたの趣味嗜好《しこう》を割り出して、あなた好みの記事や動画を優先的に表示するようになる。

だから油断するといつしか、「大半の人は自分と同じ意見だ」「これが世の中の常識だ」という思い込みが生まれてしまう。でもそれは「常識」でもなんでもない。数ある「意見」のうちの1つにすぎない。

人は自分の見たいものを見て、知りたいことを知りたがる。本来なら多様なはずのネット空間がバイアスの罠《わな》をかけてくるのだ。

世の中には自分とは異なる無数の意見や見解が、同時並行で存在することを忘れないでほしい。私たちにはそれぞれ育った環境があり、親や友だちや仕事相手といった特定の人間関係がある。

だから思考のバイアスから完全に逃れるのは不可能だ。

そこで大切なことは、自分自身にバイアスはあると自覚したうえで、思いをめぐらせることだろう。つねに自分のものの考え方を顧《かえり》みながら、情報と向き合うことだ。

それがこの情報化社会を生きる正しい姿勢である。

歴史認識とは「ストーリー」である

多くの意見や情報が錯綜《さくそう》する最たるものは、歴史認識かもしれない。

ある時そこで起きた出来事は1つのはずだが、長い年月を経ることで、その解像度は下がる。文字や映像による記録が残されていればまだしも、どこかの時点で記録が失われたり、記録そのものが存在しなかったりすれば、ますますその出来事の実相は定かでなくなる。

人々の記憶の中だけに刻まれた情報は、他者への伝達が難しい。

そろそろ戦後80年が経過しようとしている。その記憶を持つ人々も減っている。「あの日、あの場所で起きた出来事」の真実が失われていく一方で、「実際はこうだった」「本当はそんな事実はなかった」という〝意見・見解〟が強まる。

特に歴史小説などはそうした傾向が強くなると思う。非常にファンが多い司馬遼太郎さんの歴史小説は、読んで胸躍るが、同時に客観性がどうかという指摘も存在している。なかには百田尚樹さんのような声高なメッセージを発する作家もいる。

僕は、それはそれで悪いとは思わない。歴史にはストーリーがつきものだ。仮にストーリー性が極端に薄い歴史書、歴史小説というものがあるのなら、そこでの記述はたしかに客観性に富むだろう。**でも、無機質な数字やデータばかり連ねられた「歴史」はおもしろいだろうか。きっと無味乾燥でつまらないはずだ。かつてそこに存在した血肉を持った人々の息吹を感じられないからだ。**

歴史が魅力的なのは、そこにストーリーがあるからだ。数百年前、数十年前の人々も、私たちと同じような悩みを抱え、競い、時に争い、仲間をつくってきたのだという物語にこそ、私たちは共感し、ロマンを抱く。現代でも学ぶべき点があると感じるのだ。

とすれば、歴史書、歴史小説、歴史番組といった「過去の情報」を伝えるメディアから、恣意《しい》性を完全に取り除くことは難しいし、取り除くべきでもない。

大切なのは、歴史観についても、いや歴史観だからこそ、私たちはそれを1つの「意見」として受け止める姿勢を持つことだ。作家A、ジャーナリストB、政治家Cが示す歴史認識は、そのほか多くの歴史認識の1つにすぎない。そのことをくれぐれも肝《きも》に銘《めい》じてほしい。

たった1つの「歴史」だけ見て、他者の記憶や体験、喜びや痛みを否定することになってはいけない。

情報の収集と、深掘りと、多様性

次の章からは情報収集の具体的なノウハウをお伝えする。この第1章はその準備運動だ。ここまでのポイントを整理する。

①ネット社会で一見、情報収集は容易になったように思える。しかし、その「情報」は玉石混交《ぎょくせきこんこう》である。

②そうした「情報」には多くのフェイク（ニセ情報）も紛れ込んでいる。そしてそのすべてを見抜くのは不可能だ。

③ファクトかフェイクかに過度にとらわれるべきではない。「情報」にはさまざまな階層があることを念頭に置く。

④一見、客観性に富む数字やデータであっても、その背後に恣意《しい》性が隠れていることが多い。数字やデータは使い方しだいでさまざまなストーリーがつくれることを念頭に置く。

⑤この世に「唯一絶対の真実」というものは存在しない。自分の1つの考えに凝《こ》り固まらず、日ごろから他者のさまざまな「意見」に目を配る。

あなたが高校生や大学生ならネットのあつかいはお手の物だろう。スマホを使い、あらゆる情報に手早くアクセスする術《すべ》に長《た》けているはずだ。でもそれは自分の興味、共感の範囲内にとどまっていないだろうか。社会に出れば、世代、所属、人種、文化の異なる人々と仕事をしていくことになる。いまのうちに広い視野と柔軟性を培《つちか》っておこう。

そのためには新聞がいい。新聞には世の中の実にさまざまな話題が載っている。政治、経済、事件、文化、さらに、暮らしの知恵といったトピックもあれば小説もある。普段、新聞にはなじみがないかもしれないが、視野を拡げるうえでそれは格好のメディアだ。1面からバーッと読む習慣をつけよう。その手間と時間は決して無駄にならなない。

テレビの報道番組もおすすめだ。そこでもさまざまな話題が流れてくる。もちろんあなたに興味のない分野の話題もある。でもそれがいいのだ。見ているうちに、ふと興味が芽生えるかもしれない。偶発的な情報との出合いも大切にしよう。

ここで重要なことは、新聞やテレビで真実を得ようとすることではない。意見の違い、事実の切り取り方の違い、数字やデータから結論を導くやり方の違いを学ぶことだ。

あなたが20代、30代の社会人なら、新聞各紙の読み比べを実践してみてほしい。忙しくて毎日は難しいかもしれない。空き時間や休日を使い、最低3紙を読み比べてみよう。

同じ話題でも新聞によってそれを伝えるニュアンスが違う。記事中の数字やデータの切り取り方、あるいは微妙な語尾の言い回しに着目し、伝え手の意図を読み解いてみる。その練習を繰り返せば、「情報」というものの本質が理解できるようになるはずだ。

そして時には、オピニオン誌にも目を通してほしい。そこには新聞よりももっと強い主義主張がある。あなたの視野はぐんと拡がるだろう。

この年代は、情報を広く収集するだけでなく、深掘りする時期としてとらえてほしい。


あなたが社会経験豊富な40代、50代なら、ぜひ異なる世代、異なる立場の言い分や主張に意識して耳を傾けてほしい。

すでに仕事のやり方を熟知し、そこで必須となる情報も得て、自分なりに物事を判断する目もお持ちだろう。

だからこそあえて10代の子はいまなにを考え、なにに心躍らせ、なにで癒《いや》されているのか、そうした世代特有の空気感を知るのは有意義だ。

いま若者のあいだでなにがトレンドなのか。海外の文化でどんな新しい動きがあるのか。それを知るためには、若い世代のコミュニティに顔を出すのがいちばんだ。それだと気兼ねするというのなら、日ごろ読まない雑誌を手に取ってみるのもいい。

自分には関係がないと思われる現象に目を向けることが大切なのだ。

普段はあまり接点のない人々に触れれば、「エコーチェンバー」に陥《おちい》ることも避けられる。

情報収集とは、あなたの人生を実りあるものにするプロセスだ。さまざまなタスクをスムーズにこなし、時に直面する問題を解決するためのプロセスだ。

情報は単に集めるだけでは用をなさない。必要な情報をしっかりつかみ、判断する力を身につける必要がある。そのノウハウを次章で述べる。

レクチャー

2

情報収集術

信憑性《しんぴょうせい》を
どう見極めるか

情報チェックの仕組み化

第1章では、情報収集にあたっての基本的な心構えを示した。

この第2章では、より精度の高い情報収集の方法について述べる。

ひと昔前と違い、いまやインターネットであらゆる情報に瞬時にアクセスできる時代だ。それらの情報はまさに玉石混交《ぎょくせきこんこう》である。なかにはとんでもないフェイク（ニセ情報）も紛れ込んでいる。でもそのすべてをファクトとフェイクに選別するのは不可能だ。

だから、ある情報の「信頼度」をどのような手順で、どの程度チェックするか、それが情報収集のポイントになる。

信頼度のチェックを怠《おこた》れば、時に大きな失敗を招きかねない。とうぜん周囲に迷惑をかけることになるし、自分の社会的信用にもかかわってくる。

1976年のロッキード事件の際、三木武夫首相の自宅に「ニセ電話」がかかってきた。

京都地方裁判所の鬼頭《きとう》判事補が、当時の検事総長の名を騙《かた》り、秘書に対して三木首相に取り次ぐよう告げたのだ。秘書はその場でそれに応じてしまい、三木首相が電話口で直接対応することになった。鬼頭判事補は三木首相に、中曽根康弘自民党幹事長の逮捕が迫っているとのウソをつき、このままだと政局混乱は免《まぬが》れない、だからその逮捕を見送るための指揮権発動を行使するようそそのかした。

鬼頭判事補は通話内容をすべて録音していて、三木首相が誘いに乗ってひとたび指揮権発動を口にしたのなら、その音源を世の中にさらす企《くわだ》てだった。指揮権発動は、政治による検察権介入を意味する。それが明るみになれば大スキャンダルであり、三木首相は政権の座を追われるだろう。鬼頭判事補のニセ電話は三木首相の失墜を狙った政治的謀略だった。

しかし三木首相は最後まで指揮権発動を拒否して事なきを得る。謀略が失敗に終わった鬼頭判事補は、のちに読売新聞にこのニセ電話の全容を報じられたことで、法曹資格を失い、官職詐称の罪で有罪となった。

もちろん鬼頭判事補の行為は言語道断だ。でも、一国の首相がそのニセ電話に対応してしまったことも失態だと思う。そもそも検事総長が首相にいきなり電話をかけてくること自体、考えにくい。

電話の主がほんとうに検事総長なのか、その裏取りをしなかった秘書の危機管理意識の甘さも問われる事件だった。


2006年にはライブドア事件に絡み、〝堀江貴文氏からのメール〟なるものが国会を騒がせた。

堀江氏が前年2005年の衆院選に出馬した際、当時の武部勤自民党幹事長の次男に対して選挙コンサルタント料として3000万円を振り込むよう関係者に指示したとされるメールだった。

民主党の永田寿康議員がそのメールを〝入手〟し、公職選挙法違反の疑いがあるとして自民党の責任を糾弾した。

でも後日、そのメールはまったくの捏造《ねつぞう》であることが判明。永田議員はガセネタをつかまされたわけだ。永田議員は辞職を余儀なくされ、民主党執行部も総退陣に追い込まれた。

きわめて重大な事柄なのにもかかわらず、なぜ彼らは真偽《しんぎ》の不確かな情報を鵜呑《うの》みにしてしまったのか。

ロッキード事件は戦後最大の汚職事件といわれる。当時、日本中に衝撃が走り、政権転覆もありえた。その騒動の渦中で検事総長を名乗る人物から突如《とつじょ》、電話がくる。三木首相の秘書が慌てたのは想像に難くない。慌てるあまり、身元確認の作業を省《はぶ》いてしまったのだろう。

ライブドア事件での偽メール騒動もそうだ。その一通のメールを入手した永田議員は色めき立ち、冷静な判断ができなかったのだと思う。もしそのメールが本物だったなら、政権与党の自民党にとって大打撃だ。民主党議員の永田氏は一躍、名をあげただろう。永田議員は功《こう》を焦るあまり、裏取りを怠り、大失態を犯してしまった。

スケールこそ違えども、こうした致命的なミスは、誰の身にも起こりえる。自分は用心深いと思い込んでいる人ほど要注意だ。

私たち人間は自分の見たいものを見て、知りたいことを知ろうとしがちだ。油断すると、自分の都合のいいように物事を解釈してしまうあやうさがある。

だからこそ重大な情報であればあるほどその信頼度のチェックは欠かせない。そしてそのチェックは感情に影響されないよう、仕組み化しておくことが大切だ。

「手続的正義」で情報を精査する

「情報」とはそもそもファクトかフェイクかの二元論ばかりではない。なにもかもがオセロのように白黒に分けられるわけではない。正しいのか、間違っているのか、むしろその真実を定めづらい情報のほうが世の中には多いだろう。

そこで情報収集において有効になるのが「手続的正義」という考え方である。正しい「手続き（手順）」を踏むことで、情報の信頼度の「ランク」を見極めていくのだ。

実はこの「手続的正義」を実践しているのが、司法の場である。Aという情報と、Bという情報の内容が食い違っていて、さらに双方に明確な証拠もない。どちらが真実なのか。にわかに判断するのが難しい。

そういった状況であれば、正しい「手続き（手順）」を経ることで、確率的に真実に「近いであろうほう」を選ぶという手段を取る。

「手続的正義」のポイントは、「情報源」の確認だ。

Aが「私はBが不正を働いていたことを知っています」と主張していたとする。でもその時点ではそれは単なる主張にすぎない。本当かどうかは不明だ。だから判断する側は、その主張の内容ではなく、Bが不正を働いていたとされる根拠、つまりAの情報源をまず調べるわけだ。

Aが実際にその様子を目撃したのか。目撃はしていないが、それを裏付けるような証拠に準じる物があるのか。あるいは誰かからBが不正をしていると聞き及んだだけなのか。

重要なのは、情報源がどこまで確定しているかだ。情報源が、噂《うわさ》や又聞《またぎ》きなどの伝聞であれば、とうぜん信頼度は低くなる。

手紙や契約書といった文書が情報源の場合なら、その文書作成者はどこの誰なのかという、いわゆる「作成名義」を調べて、信頼度を見極める。また原本なのか、コピーなのかの違いも大きい。コピーなら信頼度は下がる。

そうした情報源の確認とともに、B側による反対尋問、そして第三者の検証に付される。

司法においてはそうした「手続き」を経ないと、信じるに値する情報とは見なされない。どれほど本人が「これは本当のことだ」と力説しようとも、真っ赤なウソかもしれないし、捏造《ねつぞう》された文書かもしれない。


こうした手続的正義の考えが、日常の情報収集でも大いに役立つ。

情報源をたどることで、その情報の信頼度にめどをつけられる。自分の判断が絶対に正しいと信じ込むのではなく、客観的な判断を下せるわけだ。

あるとき、あなたが衝撃的な情報に触れたとき、驚いたり、喜んだり、憤ったり、不安になったりと、感情が揺さぶられるだろう。

でも、いったん立ち止まろう。なによりも先決なのは、情報源の確認だ。誰が、どこで、いつ入手したのか。それは本当に信じるに値する情報なのか。手続的正義の観点から、冷静に見極めるのだ。

雰囲気に流されず、情報源を確認する

２０２２年2月にロシアがウクライナに軍事侵攻して以来、両国の戦争は一向に収束する気配がない。そんな２０２２年の11月15日、ＡＰ通信による報道が世界を騒然とさせた。アメリカ情報機関高官の話として、ロシアのミサイルがポーランドに着弾したとの速報を流したのだ。

ロシアがＮＡＴＯ（北大西洋条約機構）加盟国のポーランドまで攻撃したとなれば、そのまま世界大戦に突入しかねない。大事件であり、大スクープだ。

でも、その速報の翌日、完全な誤報だったことが判明。ＡＰ通信は訂正記事を出し、匿名の情報源をあつかう際の社内規則を守らなかったとして、担当記者を解雇する顚《てん》末《まつ》となった。

ＡＰ通信といえば、国際的に一定の信頼が置かれている通信社だ。だから速報の直後には、各国のメディアもそれを真に受け、ＮＡＴＯを主導するアメリカとロシアとの全面戦争に発展しかねない事態だと見立てて報じた。

ただ一方、各国首脳は「事実関係を確かめる」と発表するにとどめた。僕もその第一報に触れたとき眉をひそめた。ミサイル着弾のニュースは鵜呑《うの》みにできないと思ったのだ。

疑った理由はシンプルだ。「手続的正義」の観点に則れば、この報道の信頼度は低いと言わざるをえなかったからだ。ＡＰ通信の記事を見ると、情報源として示されているのは、「アメリカ情報機関高官」という本当に存在するのかどうかわからない人物の証言だけだった。

誰が、いつ、どこで、それを見たのか。あるいはどの機関がミサイル着弾を確認したのか。そうした点において具体的な記述はいっさいない。たとえ情報源を秘匿する必要があったとしても、ネタ元についてもう少し踏み込んで書けるはずだが、そのような記述も見当たらない。

それにもかかわらず、各国のメディアは追随《ついずい》してしまい、誤報を世界中に拡散させてしまった。ネット社会の報道がはらむ負の側面を再認識させられる機会となった。

いまならイスラエルとイスラム組織ハマスの軍事衝突をめぐってあらゆる情報が飛び交っている。

あるいは今後、中国と台湾をめぐって、またロシアや北朝鮮と日本をめぐって、さまざまな情報が飛び交うこともあるだろう。

私たちとしては、時に舞い込む刺激的な情報に、いたずらに振り回されないよう心したい。

AP通信、AFP通信、ロイター通信、CNN、BBC、そして日本であればNHK。そういった大手メディアの報道なら信頼できると多くの人は思っているかもしれない。実際、その取材力は他メディアの追随を許さない。でも彼らも人間である。ミスもする。

たしかにショッキングな報道だ。これが事実だとすれば、大変な事態である。

でも、その「情報」はどこからもたらされたものだ？

そうした自問を忘れないようにしたい。雰囲気に流されず、手続的正義をしっかり踏まえる。それで信頼度が低いと見なされる情報は、どこのどんな報道機関のものであっても信頼度は低いのだ。

情報源＝媒体の「信頼度ランク（5段階評価）」

どのような情報源が信頼できるのか。参考までに僕自身が持っている媒体ごとの信頼度基準を記しておく。5段階評価で、情報をあつかううえで、僕が日ごろから意識している基準である。

情報の信頼度 **5** 公的機関が発表しているデータ

内閣府発表、各省庁発表、国連発表、ＯＥＣＤ（経済協力開発機構）発表といったデータは、多くの専門家がかかわることで、誤りがないように厳格なチェックがなされている。専門性、公共性、客観性が担保されていると考えてよい。非常に信頼度の高い情報としてあつかえる。

新聞やテレビの報道番組は、社会情勢や国際情勢や事件を報じる際、基本的にこうした「信頼度5」のデータを引き合いに出すことが多い。その場合、「OECDの発表によると〜」「国連発表によると〜」といった具合に出典として言及しているはずだ。

逆に言えば、そうした出典をぼかした報道、言説には注意が必要である。「それはどの機関の、誰が言っていたことですか？」と問い合わせてもいいだろう。

情報の信頼度4　新聞報道

新聞に関しては「信用ならん」という意見もある。でも、僕は現在日本で発行されている大手新聞には、一定の信用を置いている。仮に新聞が「信用ならん」という面があるとしても、それはあくまで「意見」の部分に対してのはずだ。新聞各社が力を入れる社説などの「論」の部分は、「事実」ではなく「意見」の部分なので、「信頼度2」である。

でも、1面〜3面で大きく報じられる「事実」部分は、「信頼度5」の情報源に遡《さかのぼ》って、きちんと精査がなされているはずだ。そこは信用していいだろう。

ただし先に述べたＡＰ通信の事例のように、新聞報道においてもその情報源を確認することができれば、それは情報強者として上級レベルだ。

新聞で気を付ける点は特に次の2つだ。まず、いま述べた「事実」と「意見」の違いである。これは分けてとらえる必要がある。

もう1つは「そこに載っている事実だけがすべてではない」ということだ。新聞にも恣意《しい》性があるのはすでに述べたとおりだ。報じている「事実」はウソではないが、それ以外にも視点（事実）は存在する。でも、1紙の紙面スペースでその視点をすべて網羅するのは不可能だ。それに新聞社ごとのスタンスというものがある。だからその情報に一定の偏《かたよ》りが生じるのはやむをえない。受け手としては1紙だけの「事実」を鵜呑《うの》みにするのではなく、広い視野を持つよう心がけたい。

情報の信頼度3　テレビの報道番組

テレビ番組の中で報道番組の信頼度はおおむね高いと考えていいだろう。各分野の専門家を擁《よう》し、極端な「フェイク情報」が飛び交うことはまずない。新聞と同じく、誤った表現、誤った報道があったら、公式に謝罪・訂正することにもなる。その意味でも信頼度は高いといえる。

ではなぜ、新聞に比べて報道番組の信頼度はひとつ下なのか。それはテレビの役割の1つとして即時性があるからだ。

新聞はじっくりと考えさせるメディアだが、テレビは違う。矢継ぎ早に次々と情報を投げてくる。大きな出来事が起きればすぐさま速報を流し、場合によっては放送中の番組を中断して緊急特番を組む。

となると、そのすべてを「信頼度5」や「信頼度4」のみで構成するのは難しい。いまだ未整理な定かではない情報でも、あつかう価値があると判断すれば果敢に取り上げる。例えば、住宅街で凄惨な殺人事件が起きたとする。すると、近隣住民にもどんどんマイクを向け、どこまで信じていいかわからない「住民の声」を伝える。声や映像をぼかす、つまり情報源を隠してまでも、他局に先んじようとする。「最新で入ってきた情報です」と上ずった声で現地レポーターがアピールする様子などは象徴的だ。ここには視聴率を稼がなければならないテレビ局としての事情もある。

またテレビは映像や音楽を用い、視聴者の感情に訴えかけるのが巧みだ。恣意性という点では時に新聞より確信犯的である。

報道番組は情報源として有効であるものの、その情報を他者に伝えるときには配慮が必要だ。「テレビで知ったのですが」という前置きは説得力に乏しい。それなりの場で披露する際は、「信頼度4」の新聞、「信頼度5」の一次資料にアクセスしたうえで、発言に重みを持たせてほしい。

情報の信頼度 2 書籍、雑誌、ネットニュース

書籍、雑誌、週刊誌はそれぞれが強い個性を放っている。つまり書き手の自由度が高い。となると、どうしても誤情報、勘違いが入り込みやすくなる。

もちろん書店に並ぶ書籍や雑誌ともなれば、編集者や校閲者といった複数のチェックを経て、おおむね正しい情報にはなっているだろう。しかし学術書、公的専門機関が発行する雑誌などは別として、信頼度の高いものばかりとは言えない。医師の肩書を持つ人物が無責任に書き散らしたトンデモ健康本のような代物も、書店にあふれている。

大手メディア以外のネットニュースも同様だ。「報道」の体裁は取っていても、かなりあやふやな情報で書かれた支離滅裂《しりめつれつ》な記事をよく見かける。

書籍や雑誌やネットニュースがダメだとは言わない。雑談のネタを仕入れるぶんには十分だし、知識や思考力を培《つちか》ううえで読書は欠かせない。でも、いかにその内容が興味深くても、そこで得た「情報」を使うときには一定の注意が必要だ。

その書き手は信頼に値する人物なのか。その内容は「信頼度4」「信頼度5」の情報にもとづいているのか。そうした再検索のひと手間をかけたい。

情報の信頼度1　噂話《うわさばなし》、SNS

要するに、ネット空間にはびこる雑多な情報群のことだ。特に匿名のSNS投稿はほとんど信じるに値しない。そこでは単なる噂、又聞《またぎ》き、感想、偏見、思い込みが、あたかも事実かのように垂れ流されている。

「あの事件の真相は〜らしいですね」と僕に訳知り顔で言う人がいるから、「それはどこで知ったのですか？」と聞くと、「ネット掲示板に書いてありました」と返されてのけぞったことがある。

そういう話を居酒屋でやるぶんには、なんらかまわない。でも、あらたまった場で口にするのはやめたほうがいい。誰にとっても、なんのメリットもない。

ただし、匿名の情報のすべてがダメなわけではない。その情報の信頼度を見極める手がかりは、「信頼度5」に相当する出典が併記されているかどうかだ。「意見」の根拠としてそれが明示されていれば、それは有意義な情報になりえるかもしれない。そうした裏付けのない情報については、取り合わないのが賢明である。

その主張の論拠は？

僕はコメンテーターとしてテレビで発言する際、できるだけ出典を示して持論を語るようにしている。

その出典は原則として「信頼度5」か「信頼度4」のものだ。

「内閣府の発表によれば〜ですが、……」「新聞報道によると〜ということですが、……」といった具合である。

ただ、必要性があれば、「信頼度1」の話題も参考までに示すこともある。その場合は必ず、その程度の情報だということを付け加えておく。

「これはネット言論で散見される意見ですが、若者のあいだでは〜という声もあるようですね」といった具合だ。

そうやって論拠を明らかにすることで発言の信頼性は高まる。より多くの人に耳を傾けてもらえるわけだ。

一般のビジネスシーンでも同様だ。**プレゼンの際、「みんなが言っていることですが」「世の中ではこう言われています」という漠然とした物言いでいくら力説してみても相手の関心は引けない。**

でも、「△△新聞の世論調査によりますと」と論拠を明示すれば、がぜん説得力は増す。聞くに値する内容だと受け止めてくれるだろう。

また、たとえ信頼度の低い情報でも、「このまえ、知人の子どもと話したのですが、最近は～らしいですね」といった具体的なエピソードなら、それはそれでリアリティがある。

通《とお》り一遍《いっぺん》の情報だけでなく、そんな身近な視点も示すと、相手にとってより興味深いものになるはずだ。

もちろん日常会話でそうした作法はいらない。いちいち根拠を持ち出したらきりがないし、そんな細かい人は嫌われる（笑）。

井戸端会議や居酒屋談議で「ちょっと小耳に挟んだんだけどさ」と噂話《うわさばなし》に興じるのは楽しいものだ。そういう時間もまた大切である。

あらたまったフォーマルな場では脇をしめる。あなたの主張の根拠を明確にする。相手に身を入れて聞いてもらえなければ、いくら熱弁を振るったところで意味がない。

信頼度の高い情報は、あなた自身の信頼性も高めてくれるのである。

誤情報のリスク管理

匿名情報、伝聞、又聞《またぎ》き。それらの信頼度はきわめて低い。

そこから仕入れた情報を安易にひけらかすのは慎みたいところだ。見苦しいし、なによりハイリスクである。

先に述べたライブドア事件がらみの偽メール騒動では、入手経路がきわめてあいまいなその偽メールを本物だと決めつけ、国会で声高に振りかざした結果、永田議員は政界を追われるはめになった。

駆け引きのひとつとして、信憑性《しんぴょうせい》のわからない情報をあえてぶつけ、相手の反応を窺《うかが》うというやり方はあるだろう。ただし、その場合はリスク回避の予防線を張っておく必要がある。難しいことではない。

「実はこんな情報が寄せられている。見過ごせない情報だ。でもどこまで本当かわからない。だからこの場で確認させてほしい」

そのように率直に伝えるのだ。要するに、その情報の信頼度の程度を包み隠さずありのまま明かす。

こちらの目的は、相手の反応を窺うこと、ひいては真偽《しんぎ》を見極めることだ。信頼度を公開したところで、誰が損をするわけでもない。

もしそれが誤情報だったなら、「やはりそうでしたか。失礼しました」と謝罪すれば済む話だ。それで社会的信用を失うこともない。むしろ情報のあつかい方に長《た》けた人物として評価されるかもしれない。

ＡＰ通信のミサイル着弾の誤報にしても、記事中で情報源の不確かさについて触れておけばなんの問題もなかった。

ミサイル着弾の噂《うわさ》をどうしても報じたかったのなら「真相ははっきりしないが、こんな情報もある」と断っておくのが道理であり、危機管理である。そうすれば、ＡＰ通信の看板に傷がつくこともなかっただろう。そんな断りは不本意だというのなら、最初から報じるべきではなかった。

ＡＰ通信の過ちは誤情報を流したことではない。誰しもミスはする。そうではなく、その情報の信頼度が低いことを公開しなかったのが大問題だった。

２０２４年11月には、全世界が注目するアメリカ大統領選挙が控えている。

ＣＮＮをはじめとした主要メディアによる世論調査では、次期大統領をめぐる支持率において、トランプ前大統領が現職のバイデン大統領をリードしている模様だ（２０２３年12月時点）。現時点では、バイデン大統領とトランプ前大統領の一騎打ちになるという見方が大勢である。

いずれにしろ大統領選が近づくにつれ、トランプ前大統領の存在感は増していく。彼の支持者と反対派の対立はますますヒートアップするはずだ。

「こんなデータがある。こんな映像もある。だからトランプ前大統領は信用ならない」

「こんなデータがある。こんな映像もある。だからトランプ前大統領は正しい」

そういった真相の定かでない「情報」がＳＮＳを飛び交うだろう。そしてその情報に少なからぬ人が感化され、振り回されることになる。

もちろん候補者たちも黙っていない。好印象を与えようと躍起《やっき》になるし、ネガティブキャンペーンにも精を出す。高度なネット社会を迎え、選挙はまさに情報戦そのものと化したのだ。

そしてこれは選挙にかぎった話ではない。いまや世界中のあらゆる出来事が目まぐるしい情報の渦を描いている。

ウクライナに侵攻したロシアに大義はあるのか？　対するウクライナの大統領の措置は正しいのか？　イスラエルとハマスのどちらに正義があるのか？　中国や北朝鮮やロシアを相手に、日本はどう向き合えばいいのか？

どれも難しい問題だ。そもそも正解自体が存在しない。だからなおさら、私たちは雑多な情報に振り回されないよう、その情報の信頼度のレベルを意識した情報収集を心すべきだ。

そしてその情報は集めるだけでは用をなさない。情報とはその先の「持論」構築のためにある。

超高齢化社会に突入した日本。今後、国民皆保険制度や公的年金制度といった社会保障はどうなるのか。労働者不足はどうすれば解消できるのか。移民を受け入れるのか。移民を受け入れるとしてどんな課題があるのか。そしてなにより、どうすれば少子化に歯止めをかけられるのか——。問題は山積みだ。

ひとつ確実に言えるのは、いま私たちは自分たちの未来について話し合い、やれることを速やかに実践していくしかないということだ。情報収集とはそのための重要なステップなのである。

情報収集はあくまで手段だ

日本経済は１９９０年代初頭のバブル崩壊以降、ずっと低迷している。ＧＤＰ（国内総生産）も実質賃金も伸び悩み、いまや他の先進諸国に大きく水をあけられてしまった。

今後、日本の少子高齢化はますます加速していく。社会を担う若者の数は絶対的にも相対的にも減っていく。だから、ひとりひとりが付加価値を備え、生産性を高めていかなくてはならない。

ひとりひとりが自立し、困っている人がいればそれぞれの強みを発揮して支え合う。それが目指すべき理想の社会だと僕は思う。

日本人は協調性を重んじる。もちろん協調性は大切な美徳だ。でも足並みをそろえてばかりいてはなにも変わらない。時にはしっかり意見をぶつけ合う。それが建設的な意見のぶつかり合いであるのなら、新しい価値が次々に生まれるだろう。
建設的な意見とは、つまり「持論」だ。持論とは、物事をより良い方向に導くためのアイデアのことだ。

医療技術、食環境の向上にともない、日本人の平均寿命は延び続けている。いまや人生100年時代だ。60歳で定年を迎え、リタイアするような人生設計はもはやナンセンスだろう。1つの組織にとどまるような従来の働き方は、必ずしも最適とは言えなくなってきている。
それぞれのライフステージに応じた多様な働き方がこれから求められるはずだ。

僕は弁護士として社会人生活をスタートさせた。その後、弁護士のかたわらテレビでコメンテーターをこなすようになった。そして38歳のときに政治家に転身。大阪府知事を3年8か月、大阪市長を4年務めた。僕にとってその7年8か月はまさに激動だった。いまはふたたび弁護士、政治評論家として日々仕事に打ち込んでいる。

われながら波乱万丈のキャリアだが、駆け出しの弁護士時代から僕には変わらぬ信条がある。それは自分にしかできないことを追求するというものだ。

コメンテーターをこなすようになったとき、僕は周囲と同じ視点に立つことを避けた。大方の世論では見えていない視点を意識するように心がけた。そうすれば、視聴者があらためて世の中の問題について考えるきっかけになる。それがコメンテーターとしての僕の役割だと思い定めた。

大阪府知事、大阪市長時代も同様だ。前例や慣例にとらわれず、あらゆる視点で物事を検討した。そのせいで当時の部下たちからはずいぶん反発も買った。彼らと議論に議論を重ね、彼らの意見のほうが当を得ていたなら、速やかにそれを取り入れた。お互いに切磋琢磨《せっさたくま》し、府民の声に耳を傾け、政策を練り、大阪のために力を尽くした。

僕はこれまでの自分のキャリア、経験におおむね満足している。そしてその支えになっていたのは「持論」の力にほかならない。

自分の持論。相手の持論。異なる意見があってはじめてイノベーションは生まれる。それは個人の人生においても、社会の将来においても同様だ。

この第2章ではおもに情報収集のノウハウについて述べてきた。繰り返すが、情報は集めるだけでは用をなさない。肝心《かんじん》なのは、その情報の使い方だ。

次の第3章では情報発信の基礎的な作法について説明する。

1億総情報発信のSNS社会において、あなたが最低限心がけるべきことはなにか。持論構築のノウハウをお伝えするまえに、まずそこを押さえたい（※持論構築のノウハウは第5章参照）。

レクチャー

3

情報発信の基礎作法

「事実」「伝聞」「意見」
に分類する

「事実」「伝聞」「意見」の3分類

的確な情報発信のために、大前提として弁えたいポイントは、「事実」「伝聞」「意見」の3つの分類だ。

「最近話題のあの現象は、実は～なんです」
「今後は～のようなサービスのニーズが高まりそうです」

あなたが発するその内容は、明確な「事実」（信頼度4～5の情報　※信頼度ランクはP64参照）に基づくのか、「伝聞」（信頼度1～2の情報）にすぎないのか、あるいは自分なりに考察した「意見」（持論）なのか。

前章でも述べたことだが、情報源の信頼度が相手に示されてはじめて、あなたのその発言は説得力を持つ。相手にとって検討に値するものになるのだ。

だから、理想は次のようになる。

「経済産業省の〜という調べによれば、最近話題のあの現象は、実は〜なんです」

「懇意にしている○○社の△△社長から聞いたのですが、今後は〜のようなサービスのニーズが高まりそうです」

前者は「事実」を述べていて、後者は「伝聞」を述べている。

伝聞は、情報としての信頼度は下がるが、ここで大切なのはそれが「事実」なのか、「伝聞」なのか、「意見」なのかを明確にすることだ。そこが明確になっていれば、たとえその情報の信頼度が低くても、あなたの発言自体の信頼性は高まる。

単なる世間話は別として、ビジネスシーンやあらたまった場では、「事実」「伝聞」「意見」の分類をはっきりさせておく必要がある。でなければ、有意義な意見交換、議論は成立しない。

また、ＳＮＳでセンシティブな事柄を発信する場合も、この3分類は正確を期したほうがいい。

明らかに信頼度の低い「伝聞」を、まるで周知の「事実」であるように語ってしまう。公的な信頼度の高い「事実」を、自分の見聞きした個人的な「伝聞」のみで否定してしまう。「伝聞」をそのまま取り込み、あたかも自分の「意見」として発信してしまう。

ＳＮＳにはそのように「事実」「伝聞」「意見」の区別のついていない投稿があふれている。

そしてその大半は、なんらかの作為や悪意があるわけではない。情報の性質に無頓着なまま、つい、うっかり垂れ流されているのだ。でもそれは端的に言ってリスキーだ。なにより発信者当人の信頼性を下げる点でリスキーなのだ。

とは言え、「事実」「伝聞」「意見」の分類を徹底するのはなかなか難しい。油断するとすぐ混同してしまう。僕だってそうだ。だからつねに意識して分類に努めている。

自分がいま述べているのは、「事実」なのか、「伝聞」なのか、「意見」なのか。日ごろから顧《かえり》みる習慣をつけてほしい。そうやって精査されたうえでの情報発信には価値がある。

それって あなたの感想ですよね

「2ちゃんねる」開設者のひろゆきさん（西村博之さん）がかつて討論バラエティ番組で放った「それってあなたの感想ですよね」という言葉が一時期、子どもたちのあいだで流行《はや》ったそうだ。友だちが言い訳をしたり、先生に叱《しか》られたりすると、ひろゆきさんを真似《まね》て「それってあなたの感想ですよね」と返すらしい（ベネッセコーポレーション「進研ゼミ小学講座 小学生13000人に聞きました！ 2022年総決算ランキング」調べ）。

ふざけ半分だろうが、言われた先生がカチンとくるのは想像がつく（笑）。

でも「あなたの感想ですよね」と相手に釘を刺すこのフレーズは、「事実」「伝聞」「意見」の分類としてとても象徴的だと思う。日本人は往々にして「事実」「伝聞」「意見」を混同して使いがちだ。

その背景のひとつに考えられるのは、日本の学校教育の問題だろう。学歴重視の日本では、テストで高得点を取るために、詰め込み式の勉強に大きな比重が割かれる。テストには必ず「正解」があり、そしてそれを暗記することがあたかも勉強の本分のようになっている。一方で、自分の意見を練ったり、意見を発表したりするような、正解のない学習は二の次だ。だから主体的な自己形成がどうしてもおろそかになってしまう。

教科書に書いてあること（事実）や、先生の教え（伝聞）を、みずからの「意見」としてそのまま述べれば、できのいい子と見なされる――。これでは物事の本質を自分でとらえる力はなかなか培《つちか》われない。とうぜん情報の質を見極める力も培われない。

もっとも近年は、能動的な学習を重視するアクティブラーニングやディベートが導入されつつある。その点には光明を感じるが、それでもまだまだ正解主義の脱却からはほど遠い。ここは一歩一歩、学校教育のシステムを改善していくしかないだろう。

日本人が「事実」「伝聞」「意見」を混同してしまいがちな、もうひとつの大きな要因は、日本語特有の言語感覚だ。英語は基本的につねに主語を必要とする。でも日本語はそうではない。いくらでも主語をぼかして語ることができる。つまり、文法的な性質としてあいまいな表現に傾きやすいのだ。

だから「～らしいよ」「～が本当のところらしいね」というような伝聞調の表現であるにもかかわらず、その話の出どころ（主語）が省《はぶ》かれても多くの人は違和感を持たない。

「誰がそう言っていたの？」と突っ込まれることもなく、「らしいね」と共感の輪が拡がっていくのはある種、心地よいものかもしれない。でもそれは情報源の混同と背中合わせなのだ。

なおかつ日本人は世間体、場の空気感をとても重んじる。上司や同僚がAという意見で盛り上がっているときに、「いや、ここはBでしょう」と異論を挟むのはあまり歓迎されない。

「あいつは空気を読まないやつだ」と思われれば、みんなから疎外《そがい》されるかもしれない。そんな不安を過剰に抱き、無難に相槌《あいづち》を打ってすませようとするわけだ。

すると、自分の意見と、周囲の意見との違いはどんどんなくなっていく。個性も主体性も失われていく。みずからの「意見」は「伝聞」に染まり、多数派の主張がみずからの「意見」と同化する。そして、みんなが見る「事実」だけを見るようになる。

場の空気を重んじるのは、それはそれで大切だろう。でも度が過ぎれば、同調圧力となる。日本はとりわけ同調圧力が強い。自分の頭で考え、判断する意志を持たないと、たやすく飲まれてしまう。

だからこそ僕は、「事実」「伝聞」「意見」の違いにいつも敏感でありたいと思っている。情報源に敏感であることが、情報強者の証《あかし》なのだ。

SNSの「自由」と「不自由」

その発言は「事実」なのか、「伝聞」なのか、あるいは個人の「意見」なのか。そうした3つの分類は、実は法的な面からも非常に重要である。

橋下はいつもSNSで激しい言い争いをしている——。相手を罵倒《ばとう》している——。そんな印象を持っている方もいるだろう。そのとおりだ（笑）。

でも、なにも闇雲《やみくも》に口論しているわけではない。僕が断固とした態度を取るのは、とうてい容認できない情報を流されたときだ。僕にまつわる明らかな誤解、曲解、デマのたぐいである。それに対しては徹底的に戦う。相手が引かなければ、僕も引かない。時にはケンカ腰の物言いも辞さない。

その過激な物言いを見て、橋下は口が災いしてたくさんトラブルや訴訟を抱えているのだろう、と思う方もいるかもしれない。でも答えはノーだ（僕が訴えられたのは市長時代の発言をもとに、前任市長に訴えられた一件だけだ。その裁判でも結局、僕の発言は名誉毀損にあたらないとして、前任市長の慰謝料請求は棄却された）。

なぜ僕は過激な物言いをしても訴訟沙汰にならないのか？　それは「ここまでなら言ってもセーフ」「ここまで言ってしまえばアウト」と明確に踏まえたうえで発言しているからだ。

ひょっとしたら僕のきつい言葉に憤慨《ふんがい》し、橋下を名誉毀損で訴えてやろうと弁護士を頼った人もいたかもしれない。でも「勝ち目はありません」と告げられたはずだ。

僕はＳＮＳで発する際、感情にまかせてまくし立てることはない。たとえそう見えたとしても、それは口論上のいわば戦法だ。**いかに激しい言葉であっても、そこにはつねにアウトとセーフの線引きがある。**

では、具体的にどんな線引きなのか。詳しくは後述するが、それはこれまで述べてきた「事実」「伝聞」「意見」の分類がカギになる。

いまや1億総情報発信の時代だ。誰もが自由に情報発信できるSNSは21世紀の大発明だろう。でもその自由は、個々人の責任によってまかなわれている。

自由だからといって、感情的で浅はかな言動に走れば、誰かを不当に傷つけることになりかねない。それが名誉毀損罪や侮辱罪に該当すれば、法的な裁きを受ける。もちろん社会的信用も失うだろう。そんなつもりで言ったんじゃない、という理屈は通用しない。悪意がなかったとしてもダメだ。むしろよけいタチが悪い。SNSは公共の場である。不用意な発信は慎まなければいけない。

でも、それで萎縮し、ものが言えなくなっては本末転倒《ほんまってんとう》である。あなたの手にある「発信力」という武器はぞんぶんに活用すべきだ。言うべきときにははっきり言う。時には過激で大胆な意見も有意義である。でなければ、新しい価値は生まれない。

SNSは自由だ。でもその自由は、ある種の不自由、つまり責任によって保障される。アウトとセーフの線引き。それさえ押さえれば、あとは自由である。思うぞんぶん、発信したいことを発信しよう。それがあなたの付加価値になるのだ。

事実を言うと「名誉毀損」になる

ＳＮＳでは名誉毀損をめぐるトラブルが絶えない。

いくら本人にそのつもりがなくても、相手の社会的評価を低下させる発言だと見なされれば、名誉毀損に該当しうる。訴えられると、民事・刑事上の責任を負うおそれがある。

でも、そもそも名誉毀損とは、具体的にどのような事態を指すのだろうか。名誉毀損罪は刑法２３０条で次のように定義されている。

〈公然と事実を摘示《てきし》し、人の名誉を毀損した者は、その事実の有無にかかわらず、３年以下の懲役もしくは禁錮または50万円以下の罰金に処する〉

ここでポイントになるのは「公然と事実を摘示（提示）」という箇所だ。

ウソ（虚偽《きょぎ》）の情報を用いて、相手の社会的評価を低下させる——。名誉毀損をそのようなニュアンスでとらえている人が多いのだが、それは誤りだ。

その情報が本当かウソかは関係ない。誹謗中傷《ひぼうちゅうしょう》にあたるのかどうかも関係ない。

たとえ偽りのない「事実」であっても、相手の社会的評価を低下させる情報なら、名誉毀損になる。

あくまで問われるのは、相手を貶《おとし》める「事実」の摘示（提示）、それ自体なのだ。

「あいつは○○をしたから、サイテーなやつだ」

○○がネガティブな事実の情報なら、その情報の真偽《しんぎ》を問わず、これを発した人はアウトだ。名誉毀損で訴えられると言い逃れは難しい。

（ただし、名誉毀損行為だったとしても、その事実の摘示に、「公共性」「公益性」「真実相当性」の3要件がすべて満たされていれば、名誉毀損は成立しない。メディアが政治家や大手企業の不正を報じるのはその3要件を満たしているからだ）

「あいつはサイテーなやつだ」

これだけだと「事実」はない。単なる非難（意見）にすぎない。だから名誉毀損にはならない。

（ただし、非難の言葉が過ぎれば責任を問われる）

僕は職業柄、法律上のさまざまな相談を受ける。名誉毀損で訴えられた人がよく口にするのは「事実を言ったのに名誉毀損になるんですか？」という質問だ。なるのだ。それは罪にもなりえる。

そんな人の言い分はだいたいこうだ。根拠のない言いがかりをつけたわけじゃない。責《せ》められてしかるべき「事実」があるから非難したのだ。それのなにがいけないのか。

——気持ちとしてはわからなくもない。

なにせ私たちは「ウソはいけない」と思って生きている。小さいころからそう教えられてきたし、後進にもそう指導しているはずだ。そして社会通念上、それはもちろん正しい。

でもだからといって、ありのままを公にさらしていいという理屈にはならない。個々人の社会的評価というのはかくも重いのである。

繰り返すが、「公然と事実を摘示（提示）」した時点で責任を問われうる。かたや「事実」をともなわない非難（意見）は、言葉が過ぎないかぎり表現の自由だ。

名誉毀損の問題を考えるうえでなにより大切なのは、個々人が有する社会的評価の尊重だ。原則としてそれを貶める権利は誰にもない。それが名誉毀損の法解釈の原点である。

「学者バカ」と「バカ学者」

相手の関心をどう引くか。情報発信においてみんなが腐心するポイントだろう。単にデータを羅列したような味気ない情報は誰も読んでくれない。読まれない情報は無意味だ。

だから時に、感傷的な表現、ユーモラスな表現、シニカルな表現、あるいは怒気を含んだ表現を用いて、他者との差別化をはかろうとする。

効果的な情報発信には、そうしたエモーショナルなスパイスも大切だ。

場合によっては過激な発言も有効だろう。僕がよくやる戦法である。当たり障りのない言葉だと埋もれかねない。多くの人になんとしても知ってほしい。そんなときには炎上前提で激しい言葉を放つ。ただし、SNSは公共の場だ。発信力を上げるための工夫は大切だが、社会通念を逸脱してしまえば元も子もない。

SNSをめぐるトラブルの代表格は、前述の名誉毀損である。

評論家Aから根も葉もない言いがかりをつけられる。そうなったら僕は徹底的に反撃する。時にはケンカ腰の物言いも辞さない。

「それでよく評論家なんてやってられるな。ぜんぶデタラメ。サイテーだな。恥を知れ！」といった調子だ。

すると「橋下はたいした根拠もなく、感情的に言っている」と批判する人が出てくる。**でも「公然と事実を摘示（提示）」してしまうと名誉毀損に問われかねない。だから僕はあえて根拠を示さないのである。**

「評論家のA氏が嫌いだ」というのは、僕の意見、感想だ。表現の自由である。

でも「評論家A氏はかつて詐欺罪の嫌疑をかけられた。まだその疑惑は完全に晴らされていない。偉そうなことを言うまえに、まず身の潔白を証明すべきだ」というように「事実」を摘示（提示）してしまうとマズい。事情はどうであれ、A氏の社会的評価を損なわせるのだから名誉毀損になりうる。

名誉毀損行為と並び、SNSで多発しているのが侮辱行為だ。侮辱罪は刑法231条で次のように定義されている。

〈事実を摘示しなくても、公然と人を侮辱した者は、1年以下の懲役もしくは禁錮もしくは30万円以下の罰金または拘留もしくは科料に処する〉

名誉毀損では「公然と事実を摘示（提示）」することがアウト。かたや侮辱は「公然と人を侮辱」することがアウトだ。つまり、個人的な意見や感想であっても、またそれが抽象的な表現であっても、度を越えた悪口は侮辱として責任を問われる。

議論が白熱していたとする。

「あなたの主張のここは大間違いだ」これは単なる意見だ。問題ない。

「おまえは三流大卒だから、そういう考えしかできないんだ」これは明らかな人格攻撃だ。侮辱だ。罪に問われる可能性がある。

どんな言葉なら表現の自由の範疇《はんちゅう》なのか。一方、どんな言葉なら侮辱に該当するのか。そこに実は明確な定義はない。その発言がなされた状況や経緯、特に多くの人がどのように読みとって感じるのかを基準とした解釈にゆだねられる。

法律家のあいだで一例としてよく用いられるのが、「学者バカ」は許されるが、「バカ学者」は許されないという基準だ。

「学者バカ」からは、研究に没頭するあまり世間のことに疎い人、というニュアンスが汲《く》み取れる。どちらかと言えば、それは好意的なニュアンスだろう。

「バカ学者」からは、好意的なニュアンスがいっさい汲み取れない。まさに侮辱である。

「ほんとにあいつはアホだな〜」

とあなたが知人を評したとする。この場合はどうだろうか。侮辱に相当するだろうか。前後の文脈から、その発言に親愛やリスペクトを汲み取れるなら、表現の自由の範疇だろう。でも、そうでないなら侮辱にあたる。

またその発言をしたときの口調も判断要素のひとつになりうる。和やかな口ぶりなら好意的表現と見なせるし、吐き捨てれば侮辱的表現だろう。

侮辱かどうかの見極めには、繊細な解釈がからむ。でも難しい話ではない。要するに、いたずらに相手の人格を否定するのは許されないということだ。ただし、許されないのはあくまで人格の否定である。意見を戦わせるぶんにはなんの問題もない。

率直な意見をぶつけ合い、成熟した議論をまっとうする。そのことをつねに心がけたい。

危険の引き受けの法理

言葉は生き物だ。時代や社会が変われば、私たちが日ごろ用いる言葉も変わる。となればとうぜん、表現の許容範囲も変わる。

「アホ」「ボケ」「カス」という言葉はかつてセーフだった。でもいまは微妙だ。公然と発すれば侮辱として責任を問われるおそれがある。

僕はSNSで時として激しい言葉で相手を糾弾することがある。自分にとって悪質なデマを振りまくような相手、特にメディアやメディアを通じて発信している公人・準公人などには容赦《ようしゃ》しない。

ただし、アウト、セーフの境界はつねに冷静に見定めている。激しい物言いをする際には、なおのこと言葉選びに慎重を期す。

でも以前、こんな想定外のケースを経験した。


ある国会議員がSNSで僕の人格を弄《もてあそ》ぶようなことを言った。その発言はとうてい容認できるものではない。僕はその人物を痛烈に非難した。すると今度は僕に関する根も葉もない事実を示し、嘲《あざけ》るように牽制《けんせい》してきたのである。

その人物は多くのフォロワーを擁《よう》していた。つまり国会議員であると同時にSNSにおいて一定の影響力を持っている。となれば、その事実無根の発言はなおさら看過できない。そこで僕は法的措置に踏み切った。相手を名誉毀損で提訴し、慰謝料500万円の支払いを求めたのだ。

ところが結局、僕の訴えは認められなかった。裁判所から請求棄却の判決を下されたのである。それはなぜか。その判決に至る裁判所の見解は、思いもかけないものだった。ポイントになったのは第1審での次のような見解である。


たしかに被告（相手）のその発言は名誉毀損に該当する。でもその前段となった原告

（橋下）の発言にも、被告に対する蔑《さげす》みと挑発が認められる。原告は自身のその発言によって、被告が悪感情を抱くだろうことは事前に容易に想像できたはずだ。

となると、原告は自身のその発言をした時点で、相手から逆に名誉毀損や侮辱にあたるような反論を受ける危険性をあらかじめ承知し、引き受けていたと見なせる。

――それが裁判所のおもだった見解だった。

つまり、自分の行為が招く危険性を十分認識していたにもかかわらず、あえてその行為を実行したのだから、たとえ結果的に損害をこうむったとしても相手の名誉毀損的行為は違法視されない、ということだ。

こうした法概念を「危険の引き受けの法理」と呼ぶ。

「危険の引き受けの法理」はこれまでごく一部の刑事事件、民事事件に適用例があるものの、まさか名誉毀損の審理に持ち込まれるとは思わなかった。もちろん僕としては不服だったが、一方でそんな解釈もあるのかと妙に感心してしまった。

要するに、あっちも悪いけど、こっちも悪い。お互いさま。自己責任でやったことなのだから裁きません。そういう見解だ。

こうした今回の判例は、名誉毀損や侮辱をめぐる今後の裁判にいくらか影響を及ぼすかもしれない。

ＳＮＳ社会はますます深化し、複雑化し、雑多になっていく。それに応じて、情報発信の節度のあり方も問い直されていく。

自戒を込めて言えば、たとえこちらに正当な言い分があったとしても、相手と同じ土俵に乗ってやりあえば後味の悪さしか残らないということだ。自分の名誉を守るのは大切だ。でも、やられたらやり返す、そんな措置だけでは痛み分けに終わりかねない。

情報発信者としてのあるべき態度を再度考える良い機会になった。

「表現の自由」の考え方

2020年5月、テレビ番組に出演していた女子プロレスラーの木村花さんが、SNSでの誹謗中傷《ひぼうちゅうしょう》を苦に自殺した。享年22歳。あまりに痛ましい事件であり、大きな社会問題にもなったのでご記憶の方も多いだろう。

警視庁によれば、同年3月以降、木村さんのツイッターに多数の匿名アカウントから「性格悪いし、生きてる価値あるのかね」「死ねや、くそが」といった約300件の中傷の書き込みが相次いだという。

心ない卑劣《ひれつ》な言葉の刃《やいば》が木村さんの心を傷つけ、死に追い込んだ。僕にも木村さんとほぼ同年代の娘がいる。木村さん、そしてご遺族の気持ちを思うと、いたたまれない。あってはならない最悪の悲劇だった。

木村さんに中傷を書き込んだアカウントは約200にのぼったという。そのうち身元を特定し、侮辱罪として略式起訴できたのはわずか2件。ともに東京地裁から科料9000円の略式命令が下った。木村さんを死に追い詰めたことに対する刑罰はそれだけだ。

この刑罰は2021年当時の〈事実を摘示《てきし》しなくても、公然と人を侮辱した者は、拘留または科料に処する〉という侮辱罪の法定刑に基づくものだ（拘留は、1日以上30日未満、刑事施設に拘置する刑。科料は、1000円以上1万円未満の金銭を支払う刑）。この法定刑は1907年（明治40年）の刑法制定以来ずっと変わっていなかった。ネットなどいっさい想定されていなかった時代の刑罰がいまなお運用されていたのだ。

またこの刑罰は軽犯罪法違反とまったく同じである。あらゆる刑事罰の中でもっとも軽い。

木村さんの事件を受け、侮辱罪の罰が軽すぎるのではないかという声が社会で高まった。それが契機となり、のちに国会で刑法改正が審議され、2022年7月から侮辱罪の法定刑は〈事実を摘示しなくても、公然と人を侮辱した者は、1年以下の懲役もしくは禁錮もしくは30万円以下の罰金または拘留もしくは科料に処する〉とあらためられた。

刑罰が「拘留または科料」から「1年以下の懲役もしくは禁錮もしくは30万円以下の罰金または拘留もしくは科料」に引き上げられたわけだ。

常軌を逸した誹謗中傷は人命をも奪う犯罪だ。SNSで誰もが匿名で発言できる現社会にあって、侮辱罪の厳罰化は誹謗中傷の抑止力になるだろう。この法定刑の一定の引き上げには僕も賛成である。

ただし、侮辱罪は親告罪のひとつだ。親告罪は、被害者が警察に告訴し、それが受理され、そして起訴されてはじめて罪に問える。証拠が不十分だと、警察はなかなか告訴を受理してくれない。SNSの匿名アカウントによる誹謗中傷の場合、その被害者が十分な証拠を集めるのが大変なのだ。

これを民事事件で提訴するとなるとなおさら煩瑣《はんさ》な手続きが必要だ。

まず被害者は加害者の身元（氏名や住所）を特定しなければならない。そのためには当該SNSのプロバイダに発信者情報の開示を請求する。X（旧ツイッター）でなされた誹謗中傷についてはX社に請求するわけだ。ただし、発信者の氏名や住所は、高度な個人情報にあたる。だからプロバイダも簡単には開示請求に応じない。多くの場合は、裁判所からプロバイダに開示命令を出してもらい、加害者の身元を特定することになる。そのうえでやっと提訴に至るわけだ。

これら一連の手続きを一個人がやるのは難しい。大半は弁護士の力を借りることになる。すると、とうぜん弁護士費用が発生する。最終的に慰謝料の請求が認められても、現状の相場なら多くて数十万円だろう。裁判に費やした時間的、金銭的コストに見合うものとは言い難い。

そのためSNSで誹謗中傷されても、刑事にも民事にも訴えることができず、結局、泣き寝入りする人が多いのが現状だ。ここは裁判手続きをより簡略にするための法整備が求められる。ただし、その法整備にあたっては同時に難しい問題をはらむ。

悪質な誹謗中傷はとうぜん厳格に取り締まられるべきだが、その一方で、法規制や厳罰化が過ぎれば、表現の自由を侵しかねない。

その発言が「意見」の範疇なのか、それとも「名誉毀損」や「侮辱」にあたるのか。前述したとおり、そこの線引きは難しい。だけれども、その線引きをあらかじめ法律で規制することには僕は反対だ。

相手に対する否定的・批判的な発言が一律に禁じられてしまえば、誰もなにも言えなくなってしまうからだ。

ＳＮＳはすべて実名化すべきだという意見もある。その発想も危険だ。ＳＮＳの匿名性が誹謗中傷の呼び水になっているのは間違いない。でもそうであっても匿名性は守られるべきだと思う。

というのも私たち民主国家の市民は誰もが平等に、政府や社会的権力を批判する権利を有している。実名での発言しか許されなくなれば、みんな権力批判に萎縮してしまう。そうすると社会の不正を暴く力が弱まってしまうのだ。自由な議論においては匿名性もまた大切なのだ。

木村花さんの事件から４年が経過しようとしている。これ以上、同じ悲劇を繰り返してはならない。健全で、有益なＳＮＳ空間をどう築いていくか。

表現の自由について考えることは、私たちの幸福について考えることと同義だ。その未来のカギを握るのは、僕でありあなただ。すべては国民ひとりひとりの手にゆだねられている。

情報発信とは個性の発信である

ＳＮＳのコメントひとつ、写真ひとつにその人の個性があらわれるものだ。もしそこで個性が省《はぶ》かれていたとしたら、情報としての価値はない。フラットな情報が欲しいなら、新聞やネットニュースで十分である。

その人の意見、知見、主義、趣味、専門性――。有意義な情報発信とは、そうした個性の発信にほかならない。

受け手はそれで新しい視点を得られるのだ。

個性に加えてもうひとつ、あなたがＳＮＳで存在感を持つために欠かせない必要条件がある。それは信用だ。

その発言は信頼度の高い情報に基づいているのか。あてにならない風評や伝聞で決めつけていないか。誹謗中傷に類する発言を繰り返していないか。

ひとつひとつの発信が、あなたの人柄や知性や能力を可視化していく。それがネット社会である。

個性と信用の両立。そのバランスを心がけて、あなたらしい健全な情報発信のスタンスをつくってほしい。

時代はどんどん移り変わっていく。それにつれ、モラルや常識も変わる。とうぜん表現の許容範囲も変わる。

ならば、あなたの情報発信のスタンスもアップデートされてしかるべきだろう。僕がこの章で述べてきた事柄はそのための足がかりである。

僕のSNSの発言はかなり攻めるところもある。僕には自分の主張を少しでも多くの人に伝えたいという明確な意志がある。だから時として炎上前提でインパクトのある物言いもする。僕にとってはそれが最適なスタンスだ。

そのスタンスを貫くために、言葉選びには厳密を期している。言っていいことと悪いことの線引きを怠《おこた》ったことはない。

つねにそうした線引きができるのは僕が弁護士だからだろう。またかつて政治家としてシビアな議論を繰り広げてきた経験もいきている。なによりいまは政治評論家としてみなさんに問題提起する身だ。僕の情報発信のスタンスはそのような僕のパーソナリティと職業に密接に結びついているわけだ。

だからあなたが僕のまねをするのは無理だし、まねする必要もない。

あなたも僕がまねできないようなスタンスを確立してほしい。そこに正解はない。すべては自分で考え、決めることだ。多様性に富んだ、楽しく豊かなSNS社会を一緒につくっていこう。

第2章では情報収集のポイントについて、この第3章では情報発信の基礎的な作法について解説した。

次の章からは、情報収集の先にある、「持論」構築をめぐる要点について述べる。「事実」と「伝聞」は外部の情報であり、万人が共有するリソースである。そのリソースをどうあなたなりにインプットし、再構築してアウトプットするのか。それはまさにあなたの個性そのものである。

持論はその人の人的価値に直結する。持論こそが情報強者の核心なのだ。

レクチャー

4

「持論」の強み

自分の中に芯《しん》をつくる

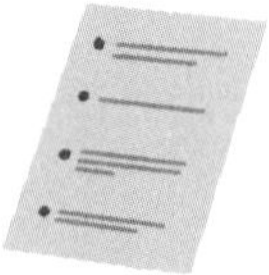

持論があなたの価値になる

繰り返し述べてきたように、この世の中に絶対的な真実、絶対的な正解というものはない。「正解」はつねに多面的であり、つねに移り変わっていく。

いまや「ＶＵＣＡ《ブーカ》（不確実性）の時代」と称されるほど、私たちの社会、暮らしの変化は目まぐるしい。そしてその不確実性はこれからさらに増していくだろう。

２００８年のリーマンショック。２０２０年１月から２０２３年５月におよんだ新型コロナウイルスのパンデミック。２０２２年２月から今日にいたるウクライナショック。世界経済はそのたびに混乱し、いま日本は円安と物価高騰《こうとう》の波にさらされている。私たちの暮らしに直結する一大事はいつも突然やってくる。

そのたびに「どうしよう……」と頭を抱えるしかないのだろうか。もちろんそんなことはない。**私たちがなすべきことはひとつである。それは自分の中に芯をつくっておくことだ。その芯こそが「持論」だ。**

5年後、10年後、世界が、そして日本がどうなっているかは誰にもわからない。そこに「正解」を求めても仕方がない。絶対的な正解をめぐって汲々《きゅうきゅう》としてしまえば、大きな機会損失を招くだろう。

大切なのは正解ではなく最適解、よりマシな選択。そしてその最適解、よりマシな選択についての仮説だ。速やかに仮説を立て、実践する。実践してみて不具合が生じれば、そのつど修正をはかり、さらに最適化、よりマシな選択をしていく。実践しないことには問題点は可視化されない。

そのトライアルアンドエラーを経てはじめて、VUCAの現代にふさわしい新たな価値が生まれる。

仮説の実践にあたっては、複数のシナリオを用意しておくことが肝心《かんじん》だ。そのシナリオは大まかには3通りである。

①その物事が順調に進んだ場合、どのような利益、社会貢献が生まれるのか？
②その物事で想定される懸念要素が現実のものとなった場合、どう対処するのか？
③その物事が頓挫《とんざ》した場合、どんな代替プランが考えられるのか？

①はまれなケースだ。物事が予定どおり、想定どおりにいくことはほぼない。①と表裏の関係でつねに②を用意しておくべきだろう。

そして③が特に重要だ。リスクヘッジと発展性を見込んで、完全に別の道のシナリオ、プランを用意しておく。この③が用意されていると、精神的な余裕も生まれる。であれば、より積極的に動けるはずだ。

動きながら、走りながら考えるスピード感。難しい状況に直面してもよりマシな選択をする柔軟性。——そこでものを言うのが、持論の構築力である。すなわち、あなたならではの着想、視点、アイデアが選択の基準となるのだ。

持論の構築力は、日ごろの訓練があってこそ養われる。いまあなたが考えるべきテーマは無数にあるはずだ。

日本の超少子高齢化によって社会はどう変化するか？
日本の近隣国で戦争が起きたらどうするか？
首都直下地震が起きたらどうするか？
自分がいまやっている仕事をＡＩが全部こなすようになったらどうするか？

多方面の事柄に関心を持ち、情報を集め、持論を積み上げてみよう。なにかが起こるのは突然で、しかもたいていの場合、熟考する時間はない。
速やかな選択の意思決定のために、持論の構築力を磨いておこう。

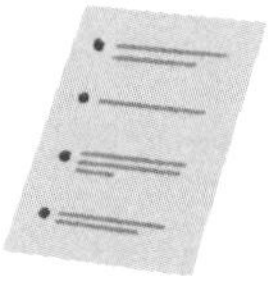

持論とは差別化である

僕が駆け出しの弁護士のころ、30歳手前のときの話だ。ある日、高校時代の先輩から一本の電話がかかってきた。その先輩は当時、放送局でラジオのディレクターをしていた。電話の用件は、ラジオ番組の出演依頼だった。

今日の生放送番組に出演予定だった弁護士が来られなくなってしまった。でもどうしても誰か弁護士に出てもらう必要がある。そこで急遽《きゅうきょ》ながら、代打として出てくれないか。——そういう事情だった。

さらにもうひとつ先輩から要望があった。それは出演に際し、当時、社会を震撼《しんかん》させていた神戸連続児童殺傷事件について見解を述べてほしいというものだ。

ショッキングな事件だったからご記憶の方も多いと思う。犯人は14歳の少年。当時の少年法の規定では、刑事罰の対象年齢は16歳以上と定められていた。したがってその加害者少年は刑罰を受けず、少年院送致の保護処分となった。法律上、それ以外の処分は難しかったのだ（※現在の刑事罰対象年齢は14歳以上）。

しかし犯行内容は身勝手で残虐《ざんぎゃく》極まりないものである。それなのに保護処分にとどまる現行の法律ははたして適正と言えるのか。少年法のあり方をめぐり、世論が紛糾《ふんきゅう》していた。

そうしたなか、僕の見解をラジオで公然と述べてほしいという要望だった。僕はそれまでラジオに出たことすらない。しかも数時間後の生放送だ。

でも僕に迷いはなかった。すぐに出演を引き受けた。なぜなら言いたいことがあったからだ。その事件について、そして少年犯罪について、僕には明確な「持論」があったのだ。

当時、識者たちの大半は「どんな罪を犯したとしても少年は守られるべき」という主張であった。一方で、僕は違った。「少年であったとしても、凶悪犯罪を起こせば厳罰を科すべき」それが僕の持論だった。

その事件の背景、法解釈、さまざまな人のさまざまな意見を踏まえたうえでの持論である。

だから僕は臆《おく》せず堂々と、ラジオで自分の持論を述べた。放送終了後、番組にはたくさんの賛否の声が寄せられたらしい。

その後、そのラジオを聞いたという在阪テレビ局のプロデューサーからテレビ出演を打診され、そこから次々とコメンテーターの仕事が舞い込むようになる。

テレビ出演を通じて各分野の専門家とじかに意見を交わし、見聞を深められたのはかけがえのない財産になった。そして38歳のとき、大阪府知事選の立候補を決意。当選を果たした僕は、大阪府政の改革に全力で打ち込むことになる。

振り返れば、あの日、高校時代の先輩からかかってきた電話がすべての転機だった。もしあのときラジオ出演を断っていたら、僕はいまも一弁護士のままだったと思う。

でも僕は引き受けた。そこで語るべき持論があったからだ。自分が優秀だったと言いたいのではない。僕なりの考えや視点が、結果的に人々の脳にざらつきを残せたのだ。違和感、驚き、納得。つまり強い問題提起になりえたのである。

僕の人生の可能性を拡げたのは、まさに持論の力にほかならなかった。

チャンスの神には前髪しかないと言う。あなたが上司や取引相手や面談相手になにか意見を求められたとき、そこで慌てて考えるようでは遅い。その場しのぎの、通《とお》り一遍《いっぺん》の感想を口にしてみても相手の脳に刻まれるほどの存在感を与えることはできないだろう。

日ごろから情報を集め、持論をたくわえておく。**それが他者との決定的な差別化につながるのだ。**

違和感を大切にする

「持論」と聞くと、なにか大それたもののように感じる人がいるかもしれない。でもそうではない。

あなたの頭には日々、いろんな疑問や不安が渦巻いているだろう。生きるとはそういうことだ。その疑問や不安にしっかり目を凝《こ》らしてみる。そして解決にむけた手立てを考えてみる。つまり言語化する。それが持論である。

持論とはあくまでひとつの案、ひとつのアイデアだ。それが正解である必要はないし、そもそも絶対的な正解なんてない。だから身構える必要はない。

すべての物事はちょっとしたアイデアが起点になる。あなたの人生は持論のあるなしで大きく変わるのだ。

どんな社会を生きていきたいのか？
どんな人生を歩んでいきたいのか？
どんな課題を解決したいのか？

映画鑑賞が趣味なら、映画を通して、社会にまつわる考察ができるかもしれない。登山が好きなら、自然と触れ合うことで見えてくる世の中の側面があるかもしれない。誰かの悩みごとの相談に乗っているうちに、新しい視点が生まれるかもしれない。持論の芽はあなたのかたわらにいつもある。それに気づくか、気づかないか。その差は大きい。

大切なのはあなたの中に渦巻く違和感への姿勢だ。なにかおかしい、なにか違う、と感じたときにそれを放っておくか、それともその違和感の正体を探っていくか。もちろん後者が重要だ。そもそもの問題はなんなのか。腰を据《す》えて、物事の本質、原点に立ち返ってみよう。

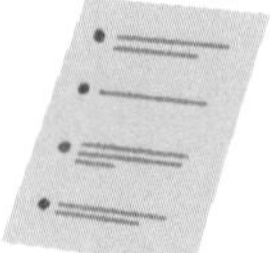

本質を踏まえないところに合理性はない

その問題の本質、原点に立ち返れば、合理的な判断を下すことができる。

僕は大阪府知事を３年半務めたのち、２０１１年に大阪市長に就任した。就任後、すぐに行ったことのひとつが、ごみ焼却施設・森《もり》之《の》宮《みや》工場の建て替え計画の中止だった。

森之宮工場は大阪城からほど近くにある、市内最大のごみ焼却施設。この森之宮工場がつくられたのは１９６９年で、老朽化が深刻な状態だった。

大阪市は大きな繁華街を持ち、たくさんの企業も集まっている。そのため日々大量のごみが排出される。このまま森之宮工場の老朽化が進むと、そのごみ処理に対処しきれない。そこで前任市長が焼却工場の新設を決めた。すでに森之宮工場の近隣に建て替え用地も確保されていた。

そこに僕がストップをかけたのだ。もちろん前任市長の建て替え計画も十分に協議したうえでのものだったはずだ。それが突如《とつじょ》、白紙になる。とうぜん役所内の反発はすさまじく再度、議論に議論を重ねた。

でも僕の考えは変わらなかった。建て替えの必要はない。老朽化した森之宮工場はそのまま取り壊す。その跡地は大阪城を望む立地にふさわしい活用方法を考えて再開発することにした。

建て替え中止の理由ははっきりしていた。

森之宮工場のごみ処理をめぐる問題の本質は、森之宮工場自体ではない。焼却工場の老朽化が問題なのではない。

ごみ処理をめぐるいちばんの問題点は、ごみの排出量の多さだ。僕はそう考えた。

ごみが多い、だから焼却施設を増強する。その理屈を採用するかぎり、ごみ問題はいつまでも解消されない。ごみの排出とごみの処理、そのイタチごっこが延々《えんえん》と繰り返されるだけだ。

当時、環境配慮の取り組みが全国的に高まったことで、東京も横浜も名古屋もごみ排出量は大幅に減少していた。でも大阪にはそうした改善が見られなかった。大阪府における、1人あたりの1日のごみ排出量は47都道府県で最多。全国で最悪の水準だったのだ。

森之宮工場の建て替え費用はおよそ300億円。巨額の税金を投入し、ごみを燃やしまくる。環境配慮もなにもあったものではない。まさに時代錯誤だ。

僕はまずごみ削減の施策を考えた。こちらが問題の本質だ。当時の大阪市ではごみの細かい分別は不要だったが、それをあらためた。ごみ分別の細分化を徹底したのだ。そして資源ごみのリサイクル促進と、市民の環境配慮の啓発に取り組んだ。

するとどうなったか。成果はすぐにあらわれた。わずか2年で大阪市のごみ処理量は約15%減となったのだ。

そして森之宮工場の建て替え中止は実行され、市内に9つあった焼却工場も、僕の任期中に7工場に減らすことができた（現在は6工場）。とうぜん、ごみ処理にかかる費用も削減された。

ごみ焼却施設が老朽化している。このままだと大量のごみに対処しきれない。だから焼却施設を新設しよう――。

今回のごみ問題を、焼却施設の問題ととらえてしまえば、そういう発想になってしまう。でもそれは短絡的な発想だろう。

焼却施設はあくまで1つの手段だ。目的はごみをどう処理するかである。

そもそもの問題はなにか。その本質に目を凝《こ》らすことが大切だ。その先に合理的な解決策がある。

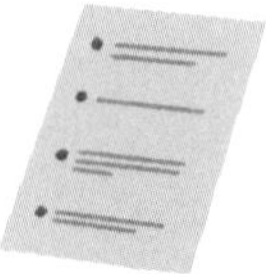

個別事例にとらわれるな

問題の本質に迫るためには、高く広い視点から物事をとらえる必要がある。木を見て森を見ずになってはいけない。

２０２３年に世間を騒がせた中古車販売大手ビッグモーターの保険金不正請求問題。連日の報道によって、ビッグモーターのいびつな経営体質が明らかになるにつれ、多くの人々の関心は不正請求そのものではなく、ミクロな話題に傾いてしまった感がある。

キャラの立った創業者親子。社員に課せられた過剰な営業ノルマ。パワハラまがいの指導実態。たしかにどれもインパクトがあり、わかりやすいし、おもしろい。テレビや週刊誌がこぞってそこを突《つっ》きまわすたびに、大きな反響が巻き起こった。

でもそうした事柄は、あくまでビッグモーター問題の個別的細目的事例にすぎない。もちろん、過剰なノルマを課し、それを達成できない社員を締め付けるような経営体質は非難されてしかるべきだろう。

しかしビッグモーターがはらむ本質的な問題はもっと大きなものだ。その問題とは、不適切な癒着を生む構造的欠陥である。

通常の保険金の請求は、修理工場による修理費の見積りに基づいてなされる。そしてその修理費は、被保険者の口座に支払われるのではなく、修理工場に直接支払われるのが一般的だ。

ビッグモーターは故意に車両を傷つけ、修理費（保険金）を水増しし、損害保険会社に不正な請求を繰り返していた。

本来、損害保険会社では「アジャスター」と呼ばれる調査員が、請求の妥当性を厳格にチェックする。アジャスターは査定のプロだ。その車の傷が本物か、あるいは捏《ねつ》造《ぞう》されたものか、見抜くのは難しいことではない。ところがビッグモーターの不正はことごとく見過ごされた。

ここでポイントになるのは、ビッグモーターは中古車の売買のみならず、車両修理、そして損害保険の代理店も兼ねていた点だ。

つまりビッグモーターは、損害保険会社に修理費を請求する立場でありながら、同時に損害保険会社に保険加入者をもたらし、損害保険会社の利益に貢献する立場でもあった。

損害保険会社にしてみれば、ビッグモーターは自社の保険加入者という顧客獲得に必要なビジネスパートナーということになる。ならば、はたしてそうした相手に保険金請求の際に厳しいチェックが働くだろうか。怪しいと言わざるをえない。

実際に、損害保険ジャパンは自動車事故に遭《あ》ったみずからの保険契約者をビッグモーターの修理工場に紹介し、その見返りとしてビッグモーター経由で新規の保険加入者を大量に得ていたことが明るみになった。

両者の依存関係は根深いものがあり、それが不正請求のまかり通る温床《おんしょう》になっていたと見るべきだろう。

ビッグモーターの不正請求問題が浮き彫りにしたのは、チェックする側（損害保険会社）とチェックされる側（ビッグモーター）の依存関係がはらむ構造的リスクだ。それはそのまま不適切な癒着につながりかねない。

同様の不正請求の再発を防ぐためにはそのような依存関係を断ち切る必要がある。車の大手修理業者が保険代理業を兼業できないような法改正が世間から求められるだろう。

ビッグモーターの問題は、特定企業、特定業界の問題では終わらない。そこからは「利害関係のある相手には、厳密なチェックを行うことはできない」という世の摂理が浮かび上がる。

旧ジャニーズ事務所創業者の性加害問題も、その根っこにはジャニーズ事務所とメディアのもたれ合いがあった。

メディアはジャニーズ事務所と良好な関係を維持するため、長年にわたって性加害の事実を黙認してきた。それが被害を拡げ、被害者をいっそう深く苦しめる悲劇を招いたと言える。

業種を問わず、利害関係者が相互依存に陥《おちい》らないような仕組みづくりが不可欠である。これが問題の本質的な解決策だ。

個別的細目的な事例にとらわれず、全体像を見渡すことが真の問題解決につながるのだ。

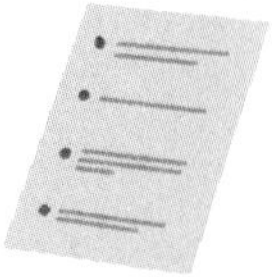

「どっちがよりマシか」の思考

物事を進めるうえで大切なのは、１００点満点を目指さないということだ。

どんな綿密なプランを練ってもアクシデントは起きる。人間だからミスもする。そもそも先々のことを予測するのは難しい。

だから「０か１００か」の正解主義の思考に陥《おちい》ってはいけない。「１００」は無理だ。そこを目指すと身動きが取れなくなる。結局、ミスをおそれて現状維持の「０」にとどまってしまうだろう。

目標到達の推進力になるのは「０か１００か」の思考ではなく、「どっちがよりマシか」の現実思考だ。これはＰ１２１でも述べた。

現状に問題がある。ならば、その現状よりもマシな方向に舵を切る。そこで得られる成果は最初60点かもしれない。でもそれでいい。そこから70点、80点、90点と段階的に積み上げていく。物事を進めるというのはそういうことだ。

政府が推進しているマイナンバー制度にいまだ賛否の声があがっている。国民の情報をデジタル管理し、行政と国民の双方にさまざまな効率化をもたらすこの制度は、これからの日本社会の基盤をなす重要なインフラだ。少子高齢化が進むなか、きめ細やかな社会保障を維持するうえでマイナンバー制度の拡充は不可欠である。

一時、マイナンバーに別人の情報がひも付けられるトラブルが相次いで報告され、世間が騒然となった。それで不信感を抱いてマイナンバーカードを返納した人もいる。依然としてシステム的に不完全な部分があるのは事実だ。特に個人情報の保護についてはいっそうの徹底がはかられるべきだろう。

ただし一連のひも付け誤りにより、深刻な被害が起きたわけではない。むしろこの制度全体の目的を見渡してみれば、それらのひも付け誤りはミクロな問題、すなわち前項で述べた個別的細目的問題にすぎないことがわかる。

国が国民の所得を正確に把握し、税や保険料の適正な徴収を行う。そして事故や失業や病気などの際には、それぞれにすみやかな社会保障をほどこす。それがマイナンバー制度の目的だ。

その目的の実現のために、いま1億2000万人の国民情報をあらためてデジタル統合している最中である。膨大《ぼうだい》なリソースを費やし、制度設計の大がかりな再構築が進められているのだ。そこで多少の不具合やミスが生じるのはやむをえない。むしろ必然的要素とすら言える（2023年12月に発表された政府のマイナンバー情報総点検の結果によれば、ひも付け誤りは計8351件。この件数は点検対象全体の0・01％にすぎない）。

一連のひも付け誤りを受け、「だからマイナンバー制度は根本的にダメだ」と制度そのものを否定する人がいる。

しかし超高齢化社会に突入した日本では、情報集約による行政効率化のメリットははかり知れない。手厚く迅速《じんそく》な行政サービスのために、デジタル技術を用いたマイナンバー制度はきわめて有効なのだ。

多少のひも付け誤りなどの問題を甘受してでも、このはかり知れないメリットを享受することと、ひも付け誤りを防ぐために、はかり知れないメリットを放棄することの2つの選択。

どちらが正解かという視点だと、どちらにも問題があるので迷う場合があるかもしれない。

ところが、どっちがマシかという視点だと、多少の問題を甘受してでもはかり知れないメリットを享受することを選択することになるだろう。


人は変わることに不安を抱く。特に正解主義が根強い日本ではそうした保守的傾向を持つ人が多い。変化がもたらす将来的なメリットよりも、直近の個別的細目的なデメリットにこだわってしまう。

特に政治行政に対しては多くの人が100点満点を望みがちだ。でもあなたの人生がそうであるように100点はありえない。

いつの時代でも、どこの国でも、誰がやろうとも、変革の過程では問題が発生する。そこで大切なのは、変化を退けることではなく、その問題をみんなでどう乗り切るかという姿勢だ。

いまが60点ならば、残り40点ぶんは伸びしろである。「40点も足りない」ではなく、「40点ぶんの成長余地がある」と考えるべきだ。そこから70点、80点と積み上げていく。物事を進める現実的なプロセスはそれしかない。

目先のことにとらわれず、視点を高く持とう。多角的に物事をとらえよう。**そして「どっちがよりマシか」の比較優位を見極めるのだ。そこにこそ最適解がある。**

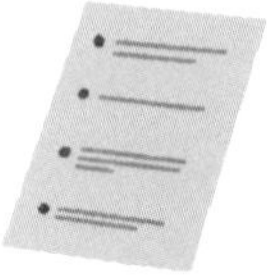

「ズラし検索」でフェアな視点を得る

ある物事をめぐって意見が真っ二つに割れる。その２つの意見はそれぞれ意見として成立しており、どちらも言い分としては通っている。そういうケースでは「どっちがよりマシか」で最終的な意思決定をするしかない。その「マシ」を探るうえで有効なのが、「ズラし検索」である。僕が習慣的に心がけている行為だ。

ここでもマイナンバー制度をめぐる問題を例にとってみよう。

マイナンバーカードに健康保険証の機能を持たせた「マイナ保険証」。政府は２０２４年12月をもって、現行の紙の健康保険証を原則廃止とし、このマイナ保険証に一本化する方針だ。

マイナンバー制度に否定的な人たちはとうぜんそれに反発している。なかでも特に個人情報の漏洩《ろうえい》を危惧《きぐ》する声が多い。

一方、マイナンバー制度に肯定的な人たちはとうぜんマイナ保険証の一本化を歓迎している。行政のデジタルトランスフォーメーションがより促進され、さらに利便性が高まることを期待する。

マイナ保険証に否定的な人たちが指摘する、個人情報の漏洩リスクは今後もたしかにあるだろう。

マイナ保険証をめぐって個人情報のひも付けミスがあったのは事実だ。それが繰り返されないという保証はない。否定派の意見は、それはそれで正しい。

一方で、マイナ保険証に肯定的な人たちが期待するように、個人情報の一元的管理がもたらす恩恵は大きい。マイナ保険証が便利なのは事実だ。

マイナンバーカードは公的な身分証明書であり、さらにそれがあれば各種行政手続きのオンライン申請が可能だ。各種証明書のコンビニ交付サービスも受けられる。そこに健康保険証の機能が加わるわけだ。となると医療機関で受診する際、わざわざ紙の保険証を持ち出す手間がなくなる。また過去の診療内容が記録されるため、より的確な医療を受けられるようになるだろう。肯定派の意見も、それはそれで正しい。

肯定派も否定派も、どちらの意見も間違っていない。それだと社会はなかなか前に進んでいかない。だから議論はずっと平行線をたどってしまう。

そのような膠着《こうちゃく》を打開するには、別の客観的な視点から、マイナ保険証の是非《ぜひ》をとらえなおす必要がある。そういう場合に「ズラし検索」を試みるのだ。

2023年8月時点の厚生労働省の調査結果によると、マイナンバーに医療保険情報がひも付けされておらず、そもそもマイナ保険証として使えない状態にある人が約77万人いることがわかった。単純に数字だけ見るとかなりの規模に思える。ただこれは行政のミスというより、健康保険の加入者が健康保険組合にマイナンバーを提出していなかったことがおもな原因だ。

しかしマイナ保険証の否定派は、制度の移行プロセスの設計自体が不十分だったたと見なすだろう。かたや肯定派は、保険加入者や事業主が適切な処理を怠《おこた》ったにすぎず、制度自体には問題がないと見なすだろう。両者の姿勢は対立したままで堂々めぐりだ。らちが明かない。

そこでマイナ保険証のことはいったん脇に置いておく。そして視点を横にズラしてみる。

例えば、紙の健康保険証の場合、どれくらいの不備、不具合が発生していたのかを調べる。以前、僕も実際にネット検索にかけてみた。すると、厚生労働省による委託調査の報告書に、２００３年時点で保険情報の誤りは年間６００万件あるという記述が見つかった※。でもこれはあくまで20年前のデータだ。くわえてこの調査方法の精度も不明瞭だ。とは言え、紙の保険証でも相当数の保険情報の誤りがあるらしいという推測はつく。

さらに２０２３年7月、平井卓也元デジタル大臣がテレビの報道番組において、本人確認ができないことなどを理由に、紙の健康保険証では年間およそ５００万件の差し戻しがあることを明言した。

ならばやはり数百万規模の不備、不具合があったと考えていいだろう。

「マイナ保険証にはこれだけの不具合がある」という指摘はれっきとした事実だ。でもその一方で、紙の保険証に比べると、マイナ保険証の不具合はかなり少ないという事実も浮かび上がる。

このようにマイナ保険証から紙の保険証に視点をズラしてみれば、マイナ保険証のほうが比較優位において「よりマシ」という見方が成立する。

「ズラし検索」によって、そのように物事を相対評価でき、物事を前に進めるジャッジを下せるのである。

※平成15年度厚生労働科学研究費補助金（医療技術評価総合研究事業）研究報告書「保険証認証のためのデータ交換基準に関する研究」主任研究者・里村洋一（千葉大学）

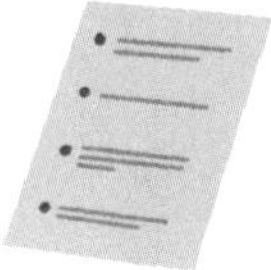

「否認」と「抗弁」

異なる視点から事実を探る「ズラし検索」は、「持論」構築にそのままつながる作業だ。

持論構築の目的はある事実を退けることではない。相手の意見を否定することでもない。持論の本懐《ほんかい》は、別の視点をもたらすことにある。

裁判でたとえるなら、「否認と抗弁」の「抗弁」である。

提示された事実に対し、それを全面的に否定するのが「否認」だ。一方、提示された事実に対し、それを認めたうえで別の事実を主張するのが「抗弁」だ。

「抗弁」では、AとBの異なる事実が同時に存在することになる。ウソが含まれていないかぎり、AもBも間違いではない。であれば、あとは妥当性の判断となる。問題解決において、AとBのどちらの事実が重要なのか、最終的にはどちらがよりマシなのかを検討するわけだ。

持論は、こうした「抗弁」のかたちを目指すべきだ。

ある問題をめぐり、さまざまな意見が取り交わされる。その場合、ひとつの意見が正解ということはありえない。明らかな事実誤認や虚偽《きょぎ》は別として、それぞれの意見はそれぞれの意見として成り立つ。

そこで相手の主張を完全に間違っているとするかたちで自分の持論をひたすら押し通すようでは、建設的な議論にはならない。結局、その持論は価値を失ってしまうのだ。

議論が膠着《こうちゃく》するパターンは2つだ。

①相手の意見に耳を傾けない

②単なる感想が飛び交う

どちらも持論が機能していないために起こる現象である。積極的に意見をぶつけ合い、みんなで新しい視点を切り開くためには、相手の意見は認めつつ、それよりも自分の意見のほうがよりマシであることに理解を求めることが得策だ。これが機能するのが持論である。

レクチャー

5

「持論」のつくり方

「情報強者」の
習慣を身につける

紙の新聞を読もう

この章では、「持論」の構築力を養うためのノウハウを述べる。とは言え、魔法のような技があるわけではない。

まず新聞を読む習慣をつけてほしい。持論構築において新聞は欠かせないツールだ。ニュース番組やネットニュースではない。新聞だ。第2章で述べたように、新聞の情報の信頼度は他メディアより頭ひとつ抜けている（※信頼度ランクはP64参照）。

僕は毎朝、5大紙（読売新聞、朝日新聞、毎日新聞、産経新聞、日経新聞）に目を通している。新聞にはそれぞれの論調、スタンスがある。だから同じニュースであっても伝え方のニュアンスが違う。5大紙を読み比べることで1つのニュースを多面的にとらえられるのだ。

ただし読み比べ作業にはそれなりの労力がいる。僕は20代からもう30年近く日課にしていて、そのコツは心得たものだ。また弁護士のみならず、政治評論家、コメンテーターの仕事もあるため、その職業的要請においても読み比べは不可欠な作業と言える。

一般の人が日々5大紙すべてに目を通すのは難しいだろう。それだけで相当な時間が取られてしまう。

いままで新聞をほとんど読んでこなかった人は、1紙でいいから毎日読む習慣をつけてほしい。なにも隅から隅まで読む必要はない。最初のうちは自分の興味関心のある分野に絞って読み込んでみよう。

そうしているうちに関心の幅が拡がっていくはずだ。読み方のコツも自然とつかめてくる。やがてスラスラ読み通せるようになるだろう。そのうえで2紙、3紙と読み比べられるようになるのがベストだ。

ちなみに、デジタル版ではなく、紙の新聞のほうがいい。
見出しの大小、記事分量の大小が視覚的に一目瞭然でわかるからだ。デジタル版で読むにしても紙面をそのままデジタル化した、いわゆる「紙面ビューア」がいい。重要度の高い記事はどれかという見当がすぐにつく。

さらに紙の新聞であれば、余白にいろんな書き込みができる。

まあこれもデジタルを使いこなしている世代であれば、デジタルで書き込みをするのだろうけど。

紙か紙面ビューアかはともかく、後述するが実はこの書き込みが持論を構築するうえでの超重要なポイントとなる。

納得できない記事に価値がある

新聞にはそれぞれのスタンス、特徴がある。

リベラル色を前面に押し出す新聞、経済面の視点を重視する新聞、政権に批判的な立場を取る新聞、保守的な姿勢を貫く新聞。

だから同じ事件を取り上げているにもかかわらず、A紙とB紙で解釈が大きく異なることも珍しくない。時にはまるで別の事件であるかのような錯覚を覚えるほどだ。

「新聞を購読しようと思っているんですが、どの新聞がいいですか?」たまにそう訊《たず》ねられる。でも答えようがない。

各紙で取り上げられるニュース（事実）はどれも同じだ。つまり、単純な情報収集のツールとしてそこに優劣はない。

このような報道スタンスの優劣については比較できない。それぞれがそれぞれのポリシーに基づいて、ニュースに切り込んでいる。そこに良し悪しはない。

どの新聞がいいか？　それはもう好みの問題である。

ただし、人は自分の見たいものを見て、知りたいことを知りたがる生き物だ。持論の構築を目指すのなら、自分に合う新聞、自分が読んで納得する記事ばかり熟読するようではいけない。自分の意見や感想をただ追認することになるからだ。それだと視野は拡がらない。

持論とは、ある意見は意見として認めながら、「でも自分はこう考える」と抗弁する営みである。

であれば、共感する記事より、むしろ違和感を覚える記事のほうが大切だ。

「なんかモヤモヤする」「これは問題の本質をとらえているのだろうか？」そんな記事にこそ着目してほしい。そこから持論が芽生えるのである。

マーカーを手に記事を因数分解する

新聞を読む習慣がつけば、とうぜん知識や情報がどんどんたくわえられていく。それが持論構築の礎《いしずえ》になるのは言うまでもない。

ただし肝心《かんじん》なのは読んで終わりにしないことだ。前述したとおり、違和感を大切にしよう。

その記事に対して「へえ、そうなんだ」で済まさず、違和感があれば自分の意見を添えてみる。意見を添える過程でなにか調べ物が出てくるかもしれない。であれば、それをネット検索で拾う。その繰り返しによって、思考力や知識はさらに深まっていく。

だから新聞をただ闇雲《やみくも》に読むのではなく、まずはその記事のどこに論点があるのかをつかむことが大切だ。それが持論構築の訓練に際しての大前提となる。

論点をつかむためのポイントは、第3章でお伝えした「事実」「伝聞」「意見」の3つの分類だ(P84参照)。記事の内容をその3つに分類してみよう。慣れないうちは、それぞれマーカーで色分けするとわかりやすい。

〈○月○日、△△で、□□という事件が起こった〉というのが「事実」だ。

〈○○研究所の△△氏は、□□とみるのが妥当だろうと述べている〉というのが「伝聞」だ。

〈○○の視点が欠かせない。今後、△△の取り組みが求められる〉〈○○氏の△△という発言は物議を呼びそうだ〉という執筆記者の主観が「意見」だ。

記事中の「事実」は公的な情報であり、その記事固有のものではない。だからそこでの「事実」は論点になりえない。深掘りしても意味はない。

一方、「意見」はまさにその記事固有の見解である。「伝聞」もその見解を補強するために用いられるケースが多い。

だから、あなたが自分の意見を添える対象は「意見」「伝聞」のどちらかということになる。

記事とは文章だ。文章には文脈があり、ストーリーがある。それはそれで興味深いものだが、不用意に引きずり込まれるべきではない。

その記事を「事実」「伝聞」「意見」に因数分解し、情報の信頼度を見極めていく。その分類作業によって記事は単なる記事で終わらず、持論構築の訓練に資するテキストに変わるのだ。

持論構築のフックを集める

記事の内容を「事実」「伝聞」「意見」に分類する作業が板についてきたら、持論を構築してみよう。

まずその下ごしらえとして、「意見」に違和感を覚えた記事の傍《かたわ》らに、あなたの指摘を赤ペンで書き添えておく。最初は「なんか変」「意味わからん」など違和感を直感的に表現する感想レベルの指摘でかまわない。これは持論構築のフックのようなものだ。

これを繰り返していくと、指摘が段々と具体的になってきて「この問題提起は的外れではないか」「この表現はミスリードを誘うものだ」「これは私が経験した事実と異なる」「ここが問題の本質ではないのでは？」といった具合になってくる。

そうやって次々と記事をさばいていく。まとまった時間があれば、そこでそのまま自分の意見である持論を練ってもいい。でも最初のうちはなかなかうまくいかないと思う。

そこで最初は、指摘を書き添えた記事を切り取り、とりあえずクリアファイルにどんどん入れていこう。そのファイルはいつでも手に取れるように仕事机のラックに差しておく。外出する際にはカバンに入れて持ち歩く。

これもデジタル世代はデジタルで処理していくかもしれない。

そして休憩や移動などの隙間時間を使い、それらの記事に再度、目を通してみる。焦らずじっくり思索を深めていくのだ。場合によっては、数日寝かして見直すのも手だ。時間を置くことにより、新しい視点が生まれるケースはままある。

いずれにしろ、そのクリアファイル内の数々の記事によって、あなたの中の問題意識はがぜん高まるだろう。物事を見る目が変わるのを自分ではっきり実感できるはずだ。

気になる記事を手あたりしだい切り取り、クリアファイルに入れて持ち歩くというやり方は、僕も日ごろから実践していることだ。持論構築のために20代のときからずっと繰り返している。

ただ僕の場合は、そこに雑感を添え書きするのではなく、そのまま持論を書きつけてしまう。そして時間のあるときにそれをあらためて読み返し、みずから納得できるようならその記事はその時点で捨ててしまう。

持論として不十分だと思えば、自分なりの答えが熟成するまで取っておく。えてしてその答えは、別の記事をきっかけにあるとき突如《とつじょ》、ひらめくことが多い。おもしろいものだ。

僕はこれまでたくさんの持論を積み重ねてきた。だからいきなり持論を書きつけることができるのだと思う。そうでない人は仕事終わりや休日に腰を据《す》えて、持論を練ってみることをおすすめする。脳みそをフル稼働させることが大切なのだ。

またその際にはぜひ文章化してほしい。文章化の作業を通して、自分の理解度を確認できるだろう。

ズラしの視点1
トレンドを遡《さかのぼ》る

持論を練って文章化する際の文字数はだいたい1000〜2000字程度がいいだろう。それより少ないと、論拠となる情報を載せることができず、単なる感想に終わってしまう。それより多いと、よほどの文章力がないかぎり、論点がぼやけてしまうだろう。

イメージするのは新聞の社説だ。読者がいる想定で、明確でわかりやすい記述を心がける。論拠はあいまいな情報源ではなく、公的機関が発表している「信頼度5」の情報に基づくのがベストだ（※信頼度ランクはP64参照）。

1週間に1本、最低でも1か月に3本くらいは書いて、持論の構築力を磨いてほしい。

持論において大切なのは、言うまでもなく独自性である。そこにあなたならではの解釈と提言がなくてはならない。そうでない持論は持論とは呼ばない。

ただし、ある意見を頭ごなしに否定するのはダメだ。それでは単なる論破である。持論の目的は、物事をより良い方向に導くアイデアをもたらすことだ。

ある意見に対し、別の建設的な意見を提示する。「否認と抗弁」で言うところの抗弁を意識しよう（P149参照）。

抗弁にあたって、その物事をどうとらえなおすか。つまり、どのように視点をズラすか。それが持論構築の最大のポイントだ。

ここからは、そのための「ズラしの視点」をいくつか紹介していく。

1つ目は「トレンドを遡《さかのぼ》る」という方法だ。

例えば、「この数年、失業率が高い。政治が機能していないからだ」という意見があったとする。

そこで、過去から現在にいたる国内の完全失業率の推移を調べてみる（以下、総務省統計局の調査結果)。

２０１９年平均の完全失業率は２・４%。20年、21年はともに２・８%。22年、23年はともに２・６%。

たしかに20年以降、失業率は高い水準にあるかもしれない。ただし、その20年はコロナショックに見舞われた年である。

10年から19年にかけての失業率を見るとずっと右肩下がり。09年の失業率は突出して高く、５・１%だ。ここでなにがあったかというとリーマンショックである。

コロナショックとリーマンショック。ということは、国内の失業率は国際的な経済動向に大きく左右されるようだ。であれば、失業率と政治とは必ずしもリンクしないかもしれない。失業率をめぐり、そういう解釈も成り立つ。そもそも10年から19年のトレンドを見ると、20年以後の失業率が突出して高いわけではないこともわかる。

すると、「政治が機能していないから失業率が高い」という理屈はやや短絡的ではないだろうか。そんな視点が生まれるだろう。

そして、そこからさらに思索を深めていく。現在の失業率が高いとすれば、それはなにを物語っているのか。どんな問題をはらんでいるのか。その問題解決のために必要な手立てとは。――その結論までたどり着けば、それがあなたの持論となる。

ある現象を考える際、直近のデータだけにとらわれると本質を見誤ってしまう。まさに木を見て森を見ずだ。

広く高い視点を得るために、トレンドを遡ってみよう。

ズラしの視点2
分母・率を見る

2つ目の「ズラしの視点」は、「分母・率を見る」という方法だ。

「こんなにも犯罪件数が多い。外国人が増えたからだ」

「これだけの生活困窮者がいる。支援策が不十分なのだ」

「情報漏洩《ろうえい》の件数がこんなにある。ずさんな危機管理のせいだ」

なにか意見を主張する際、その根拠として数字データが示されることは多い。

もちろん数字データは状況を把握するうえで重要な情報だ。ただし大きな数字には威力がある。大きければ大きいほどそれ単体でインパクトを放つのだ。要するに感情に直接訴えかけてくる。そしてそれが時に理性的な判断を曇《くも》らせてしまう。

2020年、新型コロナウイルスの出現により、日本社会はパニックに陥《おちい》った。政府や自治体は前例のないパンデミックをまえに人命最優先の措置を取った。感染拡大を食い止めようと、不要不急の外出自粛、3密の回避が徹底された。

行動が制限されるのだから、私たちの暮らしはとうぜん不自由をこうむった。飲食業をはじめ倒産も相次いだ。でもそれもやむなし、という諦めの空気がその当時は漂っていたように思える。

その2020年、新型コロナウイルス感染症による国内の年間死者数は約3500人（厚生労働省の発表）。

未知のウイルスにより、それだけの命が失われてしまった。そのひとりひとりに人生があり、ひとりひとりに愛する家族や仲間がおり、ひとりひとりに喜びや悩みがあっただろう。

この約3500人もの命が奪われたという事実はとても大きなものだ。

しかし一方で、行動制限は社会に大きなひずみを生んだ。学校にも満足に通えず、通勤もままならない。経済は落ち込み、2020年の飲食店事業者の倒産件数は780件と過去最多を記録した（帝国データバンクの調べ）。

ここで分母に視点をズラしてみる。2020年時点の日本の総人口は約1億2600万人だ（財務省の発表）。新型コロナウイルス感染症による死者数3500人は、対人口比で約0・003%となる。0・003%だ。

ちなみに同年の国内の総死亡者数は約137万人（厚生労働省の発表）。総数で約137万人もの命が失われているなかで、新型コロナウイルス感染症による死者数が約3500人だった。

日々増えていく感染者数、そして感染症死者数。その数字単体のインパクトをまえに、私たちは理性的な判断ができていたのだろうか。

その数字の実相、つまり全体における割合を顧《かえり》みれば、行き過ぎた行動制限だったのではないか。社会活動、経済活動をそこまで締め付けず、このパンデミックを乗り切る手立てはほかになかったのか。

もっと言えば、どこまでの新型コロナウイルス感染症による死者数を社会は受け入れなければならなかったのか。日本社会は、交通事故死者数を0にするために、自動車を全面禁止にするという判断をしていない。つまり一定の交通事故死者数を受け入れているといえる。

数字に惑わされないためには、その数字単体にとらわれないことだ。まずは「分母・率」を見てみよう。絶対値ではなく、相対値として計量してみると、違った視点が拡がるものだ。

ズラしの視点3

類型と比較する

3つ目の「ズラしの視点」は、「類型と比較する」という方法だ。

新型コロナウイルスの感染拡大に歯止めをかけるために、政府は国民に行動制限を課した。人が動かないとお金も動かない。とうぜん景気はいっそう冷え込み、国民はあらゆる自由を奪われ人間らしい生活を営めなくなってしまった。

「感染者数が急増している。だから行動制限が必要だ。経済対策としては大規模な財政出動しかない。それで家計や企業を守る」というのが当時の大方の意見だった。

それに対して「感染者数が急増している。でも過度な行動制限は必要ない。人々の経済活動や自由をそこまで制約すべきではない」という意見もあるが、そのように主張するなら、どのような視点に基づけば、より説得力を持たせられるだろうか。

「多少の犠牲には目をつぶれ」という乱暴な意見はなかなか通じない。

「実はコロナは拡大していない」「コロナは危険ではない」という言い分は、行動制限の必要性の主張を全否定する、いわゆる「否認」（P149参照）となり、建設的な議論にならない。そもそもその情報源の信頼度は非常に低い。


そこで新型コロナウイルスから視点をズラす。

毎年、世界各地で大なり小なり流行するインフルエンザ。日本国内の例年のインフルエンザ感染者数は推計約1000万人。インフルエンザに関連した死亡者数は推計約1万人である（厚生労働省の発表）。

一方、2020年の国内の新型コロナウイルス感染者数は累計約23万例。そのうち死者数は約3500人（同）。

つまりインフルエンザウイルスの感染規模は、新型コロナウイルスの約40倍にあたる。でもご存じのとおり、インフルエンザ対策として社会全体に行動制限がかけられることはない。

厚生労働省によれば、インフルエンザに感染した場合、社会人は発症前日から発症後3～7日間にかけて外出を控えることが推奨されている。あくまで推奨だ。子どもは保育園や学校の出席停止期間が「発症した後5日を経過し、かつ、解熱後2日（幼児は3日）を経過するまで」と学校保健安全法により定められている。

インフルエンザにまつわる行動制限を強いてあげればそれくらいだ。感染していない者までが行動や自由を制限されることはない。

あとは個々人の判断でワクチンを接種する。マスクを着用する。手洗い、うがいを励行する。感染者数が増えれば学級閉鎖にする。社会全体の枠組みではなく、個々人の枠組みで十分に克服できているわけだ。

たしかに新型コロナウイルスは私たちにとって未知のウイルスだった。世界的な感染拡大を受けて、WHO（世界保健機関）も前例のない流行だとして緊急事態宣言を出した。

そうしたある種の動乱のなか、私たちは事態の本質を見失ってしまったのではないだろうか。そこに冷静な視点があれば、社会経済活動をいたずらに制約せずに済んだはずだ。

私たちは新型コロナウイルスよりも感染規模の大きなインフルエンザと共存できている。それは事実だ。ならば新型コロナウイルスと共存できないはずはないだろう。

未知のウイルス。しかし前例はなくても、類型はある。

まったく予期しなかった事態をどう乗り越えるのか。よりマシな選択、より妥当な選択はどこにあるのか。正解のない問題に着手するうえで、類型との比較の視点は大きな一助となる。

今日より一歩前進するために

これからの日本社会はどうなっていくのか。私たちの暮らしはどうなっていくのか。それは誰にもわからない。ただひとつ確実に言えるのは、空前の少子高齢化社会に足を踏み入れたという事実である。

このまま手をこまねいていれば、労働人口はますます減り、経済規模も国内市場も縮小の一途をたどる。年金や医療費といった社会保障費の負担が現役世代に重くのしかかる。

ここで大胆な手を打たなければ、日本は衰退の道を歩み続けることになる。

ということは、これから日本は大きく変わらざるをえない。働き方も、社会制度も、公共サービスも、さまざまなインフラも変わっていかざるをえない。これまでのあらゆる常識を覆《くつがえ》していかなければならないのだ。

他方で、いま高度な情報化社会、デジタル化社会が加速度的に進んでいる。変化のカギを握るのはまさにこの情報技術、通信技術だろう。現在、デジタル庁が総力を挙げて取り組んでいるマイナンバー制度の活用はその最たる象徴だ。マイナンバー制度のフル活用は少子高齢化に対する大きな一手である。

すでに変化のうねりははじまっているのだ。今後、変化・変革の過程でさまざまな問題が生じるだろう。いずれも前例なき問題への対応で、とうぜんそこに絶対的な正解はない。でもよりマシな選択、最適解ならある。

そこであなたの持論が意味を持つのだ。価値を持つのである。最適解はそれぞれの持論のかけ合わせによってのみ生まれる。そうであるからこそ僕は持論にとことんこだわるのだ。そして持論の力を信じている。

最適解はあくまで最適解だ。よりマシな選択に向けてつねに試行錯誤を迫られる。だからあなたの情報発信、持論構築に終わりはない。つまりそれが生きるということだ。**人生の豊かさは、持論の豊かさにほかならない。その実践を試みる人こそが情報強者なのだ。**

試行錯誤の先に未来がある。幸せと安心がある。

本書を読んでくれたあなたが「情報」を手に人生を味わい尽くしてくれることを切に願っている。

ブックデザイン　小口翔平＋青山風音（tobufune）
本文デザイン　畑中茜（tobufune）
イラスト　mimi
組版　キャップス
校正　鷗来堂
協力　三浦愛美
編集　崔鎬吉

橋下 徹

はしもと・とおる

1969年、東京都生まれ。弁護士、政治評論家。

2008年から大阪府知事、11年から大阪市長を歴任し、大阪都構想住民投票の実施や、行政組織・財政改革などを行う。15年に大阪市長を任期満了で退任。現在、テレビ出演、講演、執筆活動を中心に多方面で活動。

『最強の思考法』(朝日新書)、『日本再起動』(SB新書)、『折れない心』(PHP新書)など著書多数。

情報《じょうほう》強者《きょうしゃ》のイロハ

差《さ》をつける、情報《じょうほう》の集《あつ》め方《かた》&使《つか》い方《かた》

第1刷　2024年3月31日

著者　橋下 徹
発行者　小宮英行
発行所　株式会社徳間書店
〒141-8202
東京都品川区上大崎3-1-1
目黒セントラルスクエア
電話　編集／03－5403－4344
販売／049－293－5521
振替　00140－0－44392
印刷・製本　大日本印刷株式会社

ISBN978-4-19-865811-3